五百字說華語

Speak Mandarin in Five Hundred Words

中英文版本

S0-BCT-128

Overseas Compatriot Affairs Commission

中華民國僑務委員會印行

五百字說華語

（中英文版）

劉紀華著

中華民國僑務委員會發行

中華民國九十五年八月三十一日出版

序言

　　學習語文的主要目的，是希望能自然流暢地在日常生活中應用。我海外華裔子弟學習華語之目標，亦在於能夠靈活運用。本會基於服務僑胞之一貫政策與理念，特別推出不同系列的華語教材，以符合不同地區僑胞的需要。這本《五百字說華語》走的是大眾路線，可供各行各業不同年齡層的人士使用。為使本會教材多元化，目前已推出中英、中泰、中葡、中西、中法、中印尼文與中德文等七種版本，期能嘉惠更多華裔子弟。

　　本書的主幹—中文部分—是由華語教育專家、國立政治大學副教授劉紀華女士所執筆編寫。劉老師憑著多年的教學經驗，使本書內容充實完備，在此致上最誠摯的謝意。

　　本書共分三十課，每課均包括課文、字與詞、溫習、應用等四單元。「課文」完全取材於日常生活，以實用生活為導向，從自我介紹、家庭、學校、溝通、到簡單的應對進退，皆已涵蓋。課文中重要而常用的字詞，在「字與詞」單元中並有詳細的解說，學生不僅能藉此瞭解文字的筆順，亦能學到由單字所衍生而來的詞語。在「溫習」單元，所有文字皆不加注音，藉以訓練學生認字的能力，並對課文內容能有更深一層的瞭解。最後在「應用」的部分，則是希望能讓學生將所學的語彙靈活運用於日常生活中，進而能夠自然而流暢地使用華語。

本書內容係經過精心安排，為使本書發揮最大的效用，深切期盼採用本教材的教師能安排自然活潑的學習環境，讓學生在輕鬆愉快的學習過程中，奠定華語文的基礎，為日後學習進階華文作準備。本會也期望各界若對本書有任何意見，能不吝賜教，讓本書得以精益求精，更加完美。

僑務委員會委員長
張富美

Foreword

The main purpose of learning a language is the natural and fluent application of the language in daily life. So is the purpose of overseas youths of Chinese descent in studying the Chinese language. Based on its consistent policy and concept of serving overseas Chinese, the Overseas Compatriot Affairs Commission (OCAC) has published several series of Chinese teaching materials to meet the needs of overseas Chinese in different regions. The present reader, *Speak Mandarin in Five Hundred Words*, follows the mass line. It may be used by people of different age groups from different walks of life. To pluralize the teaching materials, the OCAC has published Chinese-English, Chinese-Thai, Chinese-Portuguese, Chinese-Spanish, Chinese-French, Chinese-Indonesian, and Chinese-Germany editions, hoping to benefit more youths of Chinese descent.

The main portion-Chinese portion-of this reader, is compiled by Professor Liu Chi-hua of National Chengchi University, an expert on teaching the Chinese language. With her years of experience, Professor Liu has made this reader more comprehensive and more lively. The OCAC wishes to extend to her its heartfelt thanks.

This reader has 30 lessons and each lesson has four units: "Text", "Words and Phrases", "Review", and "Extended Practice". The Text Unit, is practice-oriented, and its materials are drawn from daily life. The materials range from self-introduction to family, school, communication, and daily dialogues. The key and frequently used words and phrases are fully elaborated in the Word and Phrase Units. This unit not only helps the students understand the stroke order of the listed words but also the phrases derived from these words as well. In the Review Unit, there are no phonetic symbols so as to enable the students to indentify the words without the help of phonetic symbols, and get a better understanding of the texts. Finally, in the Application Unit, it is hoped that the students can lively apply the glossary they have learned and use the Chinese language naturally and fluently in their daily lives.

The contents of this reader are carefully compiled. To maximize its effect, the OCAC hopes that the teachers who choose to use this reader can arrange a natural and lively learning environment for the students to learn Chinese in a pleasant atmosphere. The OCAC hopes that through such an arrangement the students can lay a good founation of Chinese dialogues in preparation for further studies of the Chinese language.

The OCAC wishes to take this opportunity to invite comments and suggestions on this reader, in the hope of bringing it to a higher horizon.

Chang Fu Mei

Minister of Overseas Compatriot Affairs Commission

目錄　CONTENTS

第一課 您早
Lesson 1　Good Morning

 課文 TEXT

 李太太：王先生，您早。
Lǐ tài tǎi　Wáng sian sheng　nín zǎo
　　tai　　　　xiān shēng
Mrs. Li: Good morning, Mr. Wang.

 王先生：早，李太太，您早。
Wáng sian sheng　zǎo　Lǐ tài tǎi　nín zǎo
　　xiān shēng　　　　　　　　tai
Mr. Wang: Good morning, Mrs. Li. Good morning to you.

 李太太：您好嗎？
Lǐ tài tǎi　nín hǎo mǎ
　　tai　　　　　　ma
Mrs. Li: How are you?

 王先生：我很好，謝謝您。
Wáng sian sheng　wǒ hěn hǎo　siè siě nín
　　xiān shēng　　　　　　　　xiè xie
Mr. Wang: I'm fine. Thank you.

 李太太：王太太好嗎？
Lǐ tài tǎi　Wáng tài tǎi hǎo mǎ
　　tai　　　　　　tai　　ma
Mrs. Li: How is Mrs. Wang?

 王先生：她很好，謝謝。
Wáng sian sheng　ta hěn hǎo　siè siě
　　xiān shēng　tā　　　　　xiè xie
Mr. Wang: She's fine. Thank you.

中ㄓㄨㄥ英ㄧㄥ文ㄨㄣ版ㄅㄢ

二 字ˇ與ˇ詞ˇ WORDS AND PHRASES

王（ㄨㄤˊ；Wáng）Wang (surname)

王：一 二 千 王

李（ㄌㄧˇ；Lǐ）Li (surname)

李：一 十 才 木 本 李 李

先生（ㄒㄧㄢ ㄕㄥ；sian sheng/xiān shēng）husband; Mr.

先：ノ ㄏ ㄓ 生 步 先

生：ノ ㄏ ㄈ 牛 生

王ㄨㄤ先ㄒㄧㄢ生ㄕㄥ
Wáng sian sheng
    xiān shēng
Mr. Wang

李ㄌㄧ先ㄒㄧㄢ生ㄕㄥ
Lǐ sian sheng
    xiān shēng
Mr. Li

太太（ㄊㄞˋ ˙ㄊㄞ；tài tǎi/tai）wife; Mrs.

太：一 ナ 大 太

王ㄨㄤ太ㄊㄞ太ㄊㄞ
Wáng tài tǎi
    tai
Mrs. Wang

李ㄌㄧ太ㄊㄞ太ㄊㄞ
Lǐ tài tǎi
    tai
Mrs. Li

你（ㄋㄧˇ；nǐ）you

您（ㄋㄧㄣˊ；nín）you(honorific term for you）

你：ノ 亻 亻 佢 佢 你 你

您：ノ 亻 亻 佢 佢 你 你 您 您 您

好（ㄏㄠˇ；hǎo）good, well, fine; all right; hello (used in greeting)

好：ㄑ ㄅ ㄅ 女 奵 好 好

您ㄋㄧㄣ好ㄏㄠ
nín hǎo
Hello

王太太，您好。
Wáng tài tǎi nín hǎo
tai
Hello, Mrs. Wang.

李先生，您好。
Lǐ sian sheng nín hǎo
xiān shēng
Hello, Mr. Li.

嗎（‧ㄇㄚ；mǎ/ma）(a question marker attached to questions)

嗎：ｌ ㄇ ㅁ 叫 吓 吓 咋 咻 嗎 嗎 嗎 嗎 嗎

好嗎？
hǎo mǎ
ma
Are you all right?

你好嗎？
nǐ hǎo mǎ
ma
How are you?

王太太，你好嗎？
Wáng tài tǎi nǐ hǎo mǎ
tai ma
Mrs. Wang, how are you?

李先生，你好嗎？
Lǐ sian sheng nǐ hǎo mǎ
xiān shēng ma
Mr. Li, how are you?

我（ㄨㄛ∨；wǒ）I, me

我：ノ 二 于 手 我 我 我

我很好。
wǒ hěn hǎo
I am very well.

他（ㄊㄚ；ta/tā）he, him
她（ㄊㄚ；ta/tā）she, her

他：ノ イ 仂 仲 他

她：し 女 女 如 如 她

他好嗎？
ta hǎo mǎ
tā ma
How is he?

王先生他好嗎？
Wáng sian sheng ta hǎo mǎ
　　　xiān shēng tā　　ma
How is Mr. Wang?

她好嗎？
ta hǎo mǎ
tā　　ma
How is she?

李太太她好嗎？
Lǐ tài tǎi ta hǎo mǎ
　　tai tā　　ma
How is Mrs. Li?

早（ㄗㄠ∨；zǎo）early, good morning
早：丶 冂 日 日 旦 早

您早。
nín zǎo
Good morning (to you).

李先生，您早。
Lǐ sian sheng　nín zǎo
　xiān shēng
Good morning, Mr. Li.

很（ㄏㄣ∨；hěn）very
很：ノ 彳 彳 彳 彳 彳 彳 很 很

很好
hěn hǎo
very good, very well

我很好。
wǒ hěn hǎo
I'm very well.

她很好。
ta hěn hǎo
tā
She's very well.

謝謝（ㄒㄧㄝˋ ·ㄒㄧㄝ；siè siě/xiè xie）Thank you
謝：丶 丶 亠 亖 言 言 言 訁 訁 訆 訮 訮 謝 謝 謝
謝謝你。
siè siě nǐ
xiè xie
Thank you.

我很好，謝謝你。
wǒ hěn hǎo siè siè nǐ
xiè xie

I'm fine. Thank you.

我太太很好，謝謝。
wǒ tài tǎi hěn hǎo siè siè
tai xiè xie

My wife is fine. Thank you.

我先生很好，謝謝。
wǒ sian sheng hěn hǎo siè siè
xiān shēng xiè xie

My husband is very well. Thank you.

 三 溫習 REVIEW

 李太太：王先生，您早。

 王先生：早，李太太，您早。

 李太太：您好嗎？

 王先生：我很好，謝謝您。

 李太太：王太太好嗎？

 王先生：她很好，謝謝。

四 應ㄧㄥ用ㄩㄥ EXTENDED PRACTICE

（一）

王ㄨㄤˊ先ㄒㄧㄢ生ㄕㄥ：李ㄌㄧˇ太ㄊㄞˋ太ㄊㄞˋ，您ㄋㄧㄣˊ早ㄗㄠˇ。
Wáng sian sheng　Lǐ tài tǎi　nín zǎo
　　　xiān shēng　　　tai
Mr. Wang: Good morning, Mrs. Li.

李ㄌㄧˇ太ㄊㄞˋ太ㄊㄞˋ：早ㄗㄠˇ，王ㄨㄤˊ先ㄒㄧㄢ生ㄕㄥ，您ㄋㄧㄣˊ早ㄗㄠˇ。
Lǐ tài tǎi　zǎo　Wáng sian sheng　nín zǎo
　　tai　　　　　　xiān shēng
Mrs. Li: Good morning, Mr. Wang.

王ㄨㄤˊ先ㄒㄧㄢ生ㄕㄥ：您ㄋㄧㄣˊ好ㄏㄠˇ嗎ㄇㄚ？
Wáng sian sheng　nín hǎo mǎ
　　　xiān shēng　　　ma
Mr. Wang: How are you?

李ㄌㄧˇ太ㄊㄞˋ太ㄊㄞˋ：我ㄨㄛˇ很ㄏㄣˇ好ㄏㄠˇ，謝ㄒㄧㄝˋ謝ㄒㄧㄝ。
Lǐ tài tǎi　wǒ hěn hǎo　siè siê
　　tai　　　　　　　　xiè xie
Mrs. Li: I'm very well. Thank you.

王ㄨㄤˊ先ㄒㄧㄢ生ㄕㄥ：李ㄌㄧˇ先ㄒㄧㄢ生ㄕㄥ好ㄏㄠˇ嗎ㄇㄚ？
Wáng sian sheng　Lǐ sian sheng hǎo mǎ
　　　xiān shēng　　xiān shēng　　ma
Mr. Wang: How is Mr. Li?

李ㄌㄧˇ太ㄊㄞˋ太ㄊㄞˋ：他ㄊㄚ很ㄏㄣˇ好ㄏㄠˇ，謝ㄒㄧㄝˋ謝ㄒㄧㄝ您ㄋㄧㄣˊ。
Lǐ tài tǎi　ta hěn hǎo　siè siê nín
　　tai　　　tā　　　　　xiè xie
Mrs. Li: He's fine. Thank you.

（二）

世ㄕˋ平ㄆㄧㄥˊ：美ㄇㄟˇ華ㄏㄨㄚˊ，你ㄋㄧˇ早ㄗㄠˇ。
shìh píng　měi huá　nǐ zǎo
shì
Shih-ping: Mei-hua, good morning.

美ㄇㄟˇ華ㄏㄨㄚˊ：早ㄗㄠˇ，世ㄕˋ平ㄆㄧㄥˊ，你ㄋㄧˇ早ㄗㄠˇ。
měi huá　zǎo　shìh píng　nǐ zǎo
　　　　　　　shì
Mei-hua: Good morning, Shih-ping.

世ㄕˋ平ㄆㄧㄥˊ：你ㄋㄧˇ好ㄏㄠˇ嗎ㄇㄚ？
shìh píng　nǐ hǎo mǎ
shì　　　　　　　ma
Shih-ping: How are you?

美ㄇㄟˇ華ㄏㄨㄚˊ：我ㄨㄛˇ很ㄏㄣˇ好ㄏㄠˇ，謝ㄒㄧㄝˋ謝ㄒㄧㄝ你ㄋㄧˇ。
měi huá　wǒ hěn hǎo　siè siê nǐ
　　　　　　　　　　　xiè xie
Mei-hua: I'm very well. Thank you.

第二課　您好嗎？
Lesson 2　　　　How Are You?

一　課文　TEXT

王先生：李先生，您好。
Wáng sian sheng　Lǐ sian sheng　nǐ hǎo
　　　xiān shēng　　xiān shēng

Mr. Wang: How are you, Mr. Li.

李先生：王先生，你好。
Lǐ sian sheng　Wáng sian sheng　nǐ hǎo
　xiān shēng　　　xiān shēng

Mr. Li: Hello, Mr. Wang.

王先生：您太太好嗎？
Wáng sian sheng　nǐ tài tǎi hǎo mǎ
　　xiān shēng　　　　tai　　ma

Mr. Wang: How is your wife?

李先生：她很好，謝謝你。
Lǐ sian sheng　ta hěn hǎo　siè siè nǐ
　xiān shēng　　tā　　　xiè xie

Mr. Li: She's fine. Thank you.

王先生：您忙嗎？
Wáng sian sheng　nǐ máng mǎ
　　xiān shēng　　　　ma

Mr. Wang: Are you busy?

李先生：我很忙，您呢？
Lǐ sian sheng　wǒ hěn máng　nǐ ně
　xiān shēng　　　　　　　　ne

Mr. Li: I'm very busy. How about you?

王先生：我不忙。
Wáng sian sheng   wǒ bù máng
　　　xiān shēng
Mr. Wang: I'm not busy.

李先生：您太太忙不忙？
Lǐ sian sheng   nǐ tài tǎi máng bù máng
　　xiān shēng   tai
Mr. Li: Is your wife busy?

王先生：她也不忙，我們都不太忙。
Wáng sian sheng   ta yě bù máng   wǒ měn dou bú tài máng
　　　xiān shēng   tā   men dōu
Mr. Wang: She's not busy. Neither of us are very busy.

 字與詞 WORDS AND PHRASES

忙（ㄇㄤˊ；máng）busy

忙：丶亠亇忄忙忙

我很忙。
wǒ hěn máng
I'm very busy.

你忙嗎？
nǐ máng mǎ
　　　ma
Are you busy?

李先生忙嗎？
Lǐ sian sheng máng mǎ
　xiān shēng   ma
Is Mr. Li busy?

呢（˙ㄋㄜ；ně/ne）(a question marker occurring with A-not-A questions, question-word
　　　　　　　　　　　　questions, and truncated questions consisting of only one noun)

呢：丨口口叩叩叩呢呢

我很忙，你呢？
wǒ hěn máng   nǐ ně
　　　　　　　　　ne
I am very busy. How about you?

我很好，你呢？
wǒ hěn hǎo   nǐ ně
　　　　　　　　ne
I'm very well. And you?

你很忙，李先生呢？
nǐ hěn máng   Lǐ sian sheng ně
　　　　　　　　　xiān shēng ne
You are very busy. How about Mr. Li?

不（ㄅㄨˋ；bù）no, not

不：一ㄫㄓ不

不忙
bù máng
not busy

不太忙
bú tài máng
not too busy

我不太忙。
wǒ bú tài máng
I'm not very busy.

他不太忙。
tā bú tài máng
He's not too busy.

也（一ㄝˇ；yě）too; also; either

也：ㄇㄉ也

他忙我也忙。
tā máng wǒ yě máng
He's busy, and I'm busy too.

王先生不忙，他太太也不忙。
Wáng xiān shēng bù máng， tā tài tai yě bù máng
Mr. Wang is not busy, and his wife is not busy either.

們（·ㄇㄣ；mén/men）(a marker attached to nouns or pronouns to form plurals).

們：ノイ亻亻们们们們們們

你們
nǐ men
you

我們
wǒ men
we

他們
tā men
they

中英文版本

她們
ta mên
tā men
they

都（ㄉㄡ；dou/ dōu）all; both

都：一 十 土 少 耂 者 者 者 都 都

我們都好。
wǒ mên dou hǎo
men dōu
We are all well.

你們都好嗎？
nǐ mên dou hǎo mǎ
men dōu ma
Are you all well?

三 溫習 REVIEW

 王先生：李先生，您好。

李先生：王先生，你好。

王先生：您太太好嗎？

李先生：她很好，謝謝你。

王先生：您忙嗎？

李先生：我很忙，您呢？

王先生：我不太忙。

李先生：您太太忙不忙？

王先生：她也不忙，我們都不太忙。

四 ▸ 應用 EXTENDED PRACTICE

（一）

王太太：李先生，你好。你忙不忙？
Wáng tài tài   Lǐ sian sheng   nǐ hǎo   nǐ máng bù máng
       tai   xiān shēng

Mrs. Wang: Hello, Mr. Li. Are you busy?

李先生：我不太忙，你呢？
Lǐ sian sheng   wǒ bú tài máng   nǐ ně
   xiān shēng   ne

Mr. Li: I'm not very busy. How about you?

王太太：我很忙。
Wáng tài tài   wǒ hěn máng
       tai

Mrs. Wang: I am very busy.

李先生：王先生也很忙嗎？
Lǐ sian sheng   Wáng sian sheng yě hěn máng mǎ
   xiān shēng   xiān shēng   ma

Mr. Li: Is Mr. Wang busy too?

王太太：他也很忙，我們都很忙。
Wáng tài tài   ta   yě hěn máng   wǒ měn dou hěn máng
       tai   tā   men dōu

Ms. Wang: He's also very busy. We are all very busy.

（二）

世平：你忙不忙？
shìh píng   nǐ máng bù máng
shi

Shih-ping: Are you busy?

美華：我不太忙，你呢？
měi huá   wǒ bú tài máng   nǐ ně
                               ne

Mei-hua: I'm not very busy. How about you?

世平：我也不太忙。
shìh píng   wǒ yě bú tài máng
shi

Shih-ping: I'm not very busy either.

美華：我們都很好，我們都不忙。
měi huá   wǒ měn dou hěn hǎo   wǒ měn dou bù máng
           men dōu   men dōu

Mei-hua: We are all very well. None of us are busy.

第ㄉㄧˋ三ㄙㄢ課ㄎㄜˋ　　這ㄓㄜˋ是ㄕˋ什ㄕㄜˊ麼ㄇㄜ？

Lesson 3　　　　　　**What Is This?**

一　課ㄎㄜˋ文ㄨㄣˊ　TEXT

甲ㄐㄧㄚˇ：這ㄓㄜˋ是ㄕˋ什ㄕㄜˊ麼ㄇㄜ？
jhè shìh shé me
zhè shì　　me
What is this?

乙ㄧˇ：這ㄓㄜˋ是ㄕˋ一ㄧ枝ㄓ筆ㄅㄧˇ。
jhè shìh yì jhih bǐ
zhè shì　　zhī
This is a writing instrument.

甲ㄐㄧㄚˇ：這ㄓㄜˋ是ㄕˋ一ㄧ枝ㄓ什ㄕㄜˊ麼ㄇㄜ筆ㄅㄧˇ？
jhè shìh yì jhih shé me bǐ
zhè shì　　zhī　　me
What kind of writing instrument is this?

乙ㄧˇ：這ㄓㄜˋ是ㄕˋ一ㄧ枝ㄓ毛ㄇㄠˊ筆ㄅㄧˇ。
nà shìh yì jhih máo bǐ
　　shì　　zhī
This is a writing brush.

甲ㄐㄧㄚˇ：那ㄋㄚˋ是ㄕˋ本ㄅㄣˇ什ㄕㄜˊ麼ㄇㄜ書ㄕㄨ？
nà shìh běn shé me shu
　　shì　　　　me shū
What kind of book is that?

乙ㄧˇ：那ㄋㄚˋ是ㄕˋ本ㄅㄣˇ中ㄓㄨㄥ文ㄨㄣˊ書ㄕㄨ。
nà shìh běn jhong wún shu
　　shì　　zhōng wén shū
That is a Chinese book.

二 字與詞 WORDS AND PHRASES

這（ㄓㄜˋ；jhè/zhè）this, these

這：ˋ 二 二 言 言 言 言 言 這 這

是（ㄕˋ；shìh/shì）be (is)

是：丨 冂 日 日 旦 早 昱 是 是

這是書。
jhè shìh shu
zhè shì shū
This is a book.

這是筆。
jhè shìh bǐ
zhè shì
This is a pen.

那（ㄋㄚˋ；nà）that, those

那：コ ヲ ヲ 月 那 那

那是書。
nà shìh shu
shì shū
That is a book.

那是筆。
nà shìh bǐ
shì
That is a pen.

什麼（ㄕㄜˊ・ㄇㄜ；shé me/me）（ㄕㄣˊ・ㄇㄜ；shén me/me）what

什：ノ イ 仁 什

麼：ˋ 二 广 广 庁 庁 庁 麻 麻 麻 麼 麼 麼

這是什麼？
jhè shìh shé me
zhè shì   me
What is this?

那是什麼？
nà shìh shé me
shì   me
What is that?

這是什麼筆？
jhè shìh shé me bǐ
zhè shì   me
What kind of writing instrument is this?

那ㄋㄚˋ是ㄕˋ什ㄕㄜˊ麼ㄇㄜ˙書ㄕㄨ？
nà shìh shé mě shu
    shì   me shū
What kind of book is that?

一（一；yi/yī）one

二（ㄦˋ；èr）two

三（ㄙㄢ；san/sān）three

四（ㄙˋ；sìh/sì）four

五（ㄨˇ；wǔ）five

六（ㄌㄧㄡˋ；liòu/liù）six

七（ㄑㄧ；ci/qī）seven

八（ㄅㄚ；ba/bā）eight

九（ㄐㄧㄡˇ；jiǒu/jiǔ）nine

十（ㄕˊ；shíh/shí）ten

枝（ㄓ；jhih/zhī）a classifier used to measure objects like pens and pencils,
occurring after a number

枝：一 十 才 木 木 杧 枋 枝

一一枝ㄓ筆ㄅㄧˇ
yì jhih bǐ
  zhī
a pen

三ㄙㄢ枝ㄓ筆ㄅㄧˇ
san jhih bǐ
sān zhī
three pens

八ㄅㄚ枝ㄓ筆ㄅㄧˇ
ba jhih bǐ
bā zhī
eight pens

筆（ㄅㄧˇ；bǐ）writing instrument
筆：ノ ト ケ ケ ケ ケ ケ 笃 笔 筚 筆

這ㄓㄜˋ是ㄕˋ一一枝ㄓ筆ㄅㄧˇ。
jhè shìh yì jhih bǐ
zhè shì   zhī
This is a pen.

那ㄋㄚˋ是ㄕˋ五ㄨˇ枝ㄓ筆ㄅㄧˇ。
nà shìh wǔ jhih bǐ
  shì   zhī
Those are five pens.

毛（ㄇㄠˊ；máo）Hair

毛：一 二 三 毛

毛筆
máo bǐ
writing brush

鉛筆
cian bǐ
qiān
pencil

鋼筆
gang bǐ
pen

原子筆
yuán zǐh bǐ
ball-point pen

這是一枝什麼筆？
jhè shìh yì jhih shé me bǐ
zhè shì   zhī   me
What kind of writing instrument is this?

這是一枝毛筆。
jhè shìh yì jhih máo bǐ
zhè shì   zhī
This is a writing brush.

那枝是什麼筆？
nèi jhih shìh shé me bǐ
     zhī shì   me
What kind of writing instrument is that?

那枝是鉛筆。
nèi jhih shìh cian bǐ
     zhī shì qiān
That is a pencil.

本（ㄅㄣˇ；běn）a classifier used to measure objects like books

本：一 十 才 木 本

一本書
yì běn shu
       shū
a book

這是一本書。
jhè shìh yì běn shu
zhè shì   shū
This is a book.

那ㄋㄚˋ是ㄕˋ六ㄌㄧㄡˋ本ㄅㄣˇ書ㄕㄨ。
nà shìh liòu běn shu
shì lìu shū
Those are six books.

那ㄋㄚˋ四ㄙˋ本ㄅㄣˇ是ㄕˋ中ㄓㄨㄥ文ㄨㄣˊ書ㄕㄨ。
nà sìh běn shìh jhong wún shu
sì shì zhōng wén shū
Those four books are Chinese books.

那ㄋㄚˋ八ㄅㄚ本ㄅㄣˇ是ㄕˋ英ㄧㄥ文ㄨㄣˊ書ㄕㄨ。
nà ba běn shìh ying wún shu
bā shì yīng wén shū
Those eight books are English books.

書（ㄕㄨ；shu/shū）book
書：ㄱ ㄱ ⺕ ⺕ 聿 聿 聿 書 書 書

這ㄓㄜˋ是ㄕˋ本ㄅㄣˇ什ㄕㄜˊ麼˙ㄇㄜ書ㄕㄨ？
jhè shìh běn shé mė shu
zhè shì me shū
What book is this?

這ㄓㄜˋ是ㄕˋ本ㄅㄣˇ中ㄓㄨㄥ文ㄨㄣˊ書ㄕㄨ。
jhè shìh běn jhong wún shu
zhè shì zhōng wén shū
This is a Chinese book.

那ㄋㄚˋ本ㄅㄣˇ是ㄕˋ什ㄕㄜˊ麼˙ㄇㄜ書ㄕㄨ？
nà běn shìh shé mė shu
shì me shū
What book is that?

那ㄋㄚˋ本ㄅㄣˇ是ㄕˋ英ㄧㄥ文ㄨㄣˊ書ㄕㄨ。
nà běn shìh ying wún shu
shì yīng wén shū
That is an English book.

中文（ㄓㄨㄥ ㄨㄣˊ；jhong wún/zhōng wén）Chinese
中：丨 ㄇ 口 中
文：丶 亠 ナ 文

中ㄓㄨㄥ文ㄨㄣˊ
jhong wún
zhōng wén
Chinese

英ㄧㄥ文ㄨㄣˊ
ying wún
yīng wén
English

日文
rìh wún
rì wén
Japanese

法文
fǎ wún
　　wén
French

德文
dé wún
　　wén
German

那是本英文書。
nà shìh běn ying wún shu
　　shì　　yīng wén shū
That is an English book.

這是本中文書。
jhè shìh běn jhong wún shu
zhè shì　　zhōng wén shū
This is a Chinese book.

那本是日文書。
nà běn shìh rìh wún shu
　　　shì rì wén shū
That is a Japanese book.

這本是法文書。
jhè běn shìh fǎ wún shu
zhè　　shì　　wén shū
This is a French book.

那三本是德文書。
nà san běn shìh dé wún shu
　sān　　shì　　wén shū
Those three books are German books.

 溫習 REVIEW

 甲：這是什麼？

 乙：這是一枝筆。

 甲：這是一枝什麼筆？

乙：這是一枝毛筆。

甲：那是本什麼書？

乙：那是本中文書。

四 應用 EXTENDED PRACTICE

甲：這是枝什麼筆？
jhè shìh jhih shé me bǐ
zhè shì zhī me
What kind of writing instrument is this?

乙：這是枝毛筆。
jhè shìh jhih máo bǐ
zhè shì zhī
This is a writing brush.

甲：那是枝什麼筆？
nà shìh jhih shé me bǐ
shì zhī me
What kind of writing instrument is that?

乙：那是枝鉛筆。
nà shìh jhih cian bǐ
shì zhī qiān
That is a pencil.

甲：這兩本是什麼書？
jhè liǎng běn shìh shé me shu
zhè shì me shū
What are these two books?

乙：這兩本是中文書。
jhè liǎng běn shìh jhong wún shu
zhè shì zhōng wén shū
These two books are Chinese books.

甲：那三本是什麼書？
nà san běn shìh shé me shu
sān shì me shū
What are those three books?

乙：那三本是英文書。
nà san běn shìh ying wún shu
sān shì yīng wén shū
Those three books are English books.

第四課　你到那裡去？
Lesson 4　Where Are You Going?

 一　課文　TEXT

 甲：你到那裡去？
　　nǐ dào nǎ lǐ cyù
　　　　　　　qù
　　Where are you going?

 乙：我到學校去。
　　wǒ dào syué siào cyù
　　　　　xué xiào qù
　　I'm going to school.

 甲：你去做什麼？
　　nǐ cyù zuò shé mě
　　　qù　　　　me
　　Why are you going there?

 乙：我去學中文。
　　wǒ cyù syué jhong wún
　　　qù xué zhōng wén
　　I'm going there to learn Chinese.

 甲：李先生也去學中文嗎？
　　Lǐ sian sheng yě cyù syué jhong wún mǎ
　　　xiān shēng　　qù xué zhōng wén ma
　　Does Mr. Li also go there to learn Chinese?

 乙：不，他去教中文。
　　bù　　ta cyù jiao jhong wún
　　　　　tā qù jiāo zhōng wén
　　No, he goes there to teach Chinese.

甲：那麼，他是老師，我們是學生。
　　nà mě　　ta shìh lǎo shih　　wǒ mèn shìh syué sheng
　　　me　tā shì　　shī　　men shì xué shēng
　　Then, he is a teacher, and we are students.

二 字ㄗˋ與ㄩˇ詞ㄘˊ WORDS AND PHRASES

到…去（ㄉㄠˋ…ㄑㄩˋ；dào…cyù/qù）go to

到：一 ㄧ ㄈ � 至 至 到 到

去：一 十 土 去 去

你ㄋㄧˇ到ㄉㄠˋ那ㄋㄚˇ裡ㄌㄧˇ去ㄑㄩˋ？
nǐ dào nǎ lǐ cyù
　　　　　　　　qù
Where are you going?

我ㄨㄛˇ到ㄉㄠˋ學ㄒㄩㄝˊ校ㄒㄧㄠˋ去ㄑㄩˋ。
wǒ dào syué siào cyù
　　xué xiào qù
I am going to school.

那裡、那裏（ㄋㄚˇ ㄌㄧˇ；nǎ lǐ）（ㄋㄚˋ ㄌㄧˇ；nà lǐ）where there

裡：丶 ㄫ ㄔ ㄔ ㄔ ㄔ 初 初 袓 袓 裡 裡

裏：丶 ㄧ 亠 市 市 亩 宣 重 裏 裏 裏 裏

你ㄋㄧˇ到ㄉㄠˋ那ㄋㄚˇ裡ㄌㄧˇ去ㄑㄩˋ？
nǐ dào nǎ lǐ cyù
　　　　　　　　qù
Where are you going?

我ㄨㄛˇ到ㄉㄠˋ那ㄋㄚˇ裡ㄌㄧˇ去ㄑㄩˋ。
wǒ dào nà lǐ cyù
　　　　　　　qù
I want to go there.

學（ㄒㄩㄝˊ；syué/xué）learn; study

學：丶 ㄧ ㄡ ㄜ ㄨ 抃 抃 趵 鉤 鉤 鉤 鉤 與 與 學 學

我ㄨㄛˇ學ㄒㄩㄝˊ中ㄓㄨㄥ文ㄨㄣˊ。
wǒ syué jhong wún
　　xué zhōng wén
I learn Chinese.

他ㄊㄚ學ㄒㄩㄝˊ日ㄖˋ文ㄨㄣˊ。
ta syué rìh wún
tā xué rì wén
He learns Japanese.

學校（ㄒㄩㄝˊ ㄒㄧㄠˋ；syué siào/xué xiào）school

校：一 十 才 木 木 杧 柠 柠 柠 校

我到學校去。
wǒ dào syué siào cyù
　　　 xué xiào qù
I go to school.

我到學校學中文。
wǒ dào syué siào syué jhong wún
　　　 xué xiào xué zhōng wén
I go to school to learn Chinese.

做（ㄗㄨㄛˋ；zuò）do
做：ノ イ 亻 什 什 估 估 做 做 做

做什麼？
zuò shé mè
　　　 me
Do what?

你去做什麼？
nǐ cyù zuò shé mè
　 qù　　　　 me
What will you do there?

教（ㄐㄧㄠ；jiao/jiāo）teach
教：ノ ㄨ ㆐ ㆑ 耂 考 孝 孝 孝 教 教

他教中文。
ta jiao jhong wún
tā jiāo zhōng wén
He teaches Chinese.

他教我們中文。
ta jiao wǒ mèn jhong wún
tā jiāo 　 men zhōng wén
He teaches us Chinese.

老師（ㄌㄠˇ ㄕ；lǎo shih/shī）teacher
老：一 ＋ 土 耂 老 老
師：ノ 亻 ㇒ ㇇ 自 自 師 師 師

他是老師。
ta shìh lǎo shih
tā shì 　 shī
He is a teacher.

李先生是老師。
Lǐ sian sheng shìh lǎo shih
　 xiān shēng shì 　 shī
Mr. Li is a teacher.

李先生是中文老師。
Lǐ sian sheng shìh jhong wún lǎo shih
　 xiān shēng shì zhōng wén 　 shī
Mr. Li is a Chinese teacher.

學生（ㄒㄩㄝˊ ㄕㄥ；syué sheng/xué shēng）student, pupil

我學中文，我是學生。
wǒ syué jhong wún 　 wǒ shìh syué sheng
　 xué zhōng wén 　 shì xué shēng
I am learning Chinese. I am a student.

他學英文，他也是學生。
ta syué ying wún 　 ta yě shìh syué sheng
tā xué yīng wén 　 tā 　 shì xué shēng
He is learning English. He is also a student.

我們都是學生。
wǒ mén dou shìh syué sheng
　 men dōu shì 　 xué shēng
We are all students.

那麼（ㄋㄚˋ ˙ㄇㄜ；nà mě/me）then

你們都學中文，那麼你們都是學生。
nǐ mén dou syué jhong wún 　 nà mě nǐ mén dou shìh syué sheng
　 men dōu xué zhōng wén 　 me 　 mén dōu shì xué shēng
You all study Chinese, so you are all students.

他們都教中文，那麼他們都是老師。
ta mén dou jiao jhong wún 　 nà mě ta mén dou shìh lǎo shih
tā men dōu jiāo zhōng wén 　 me tā men dōu shì 　 shī
They all teach Chinese, so they are all teachers.

 三 溫習 REVIEW

 甲：你到那裡去？

 乙：我到學校去。

 甲：你去做什麼？

 乙：我去學中文。

甲：李先生也去學中文嗎？

乙：不，他去教中文。

甲：他是老師，我們是學生。

 四　應用 EXTENDED PRACTICE

甲：你到那裡去？
nǐ dào nǎ lǐ cyù
　　　　　qù
Where are you going?

乙：我到學校去。
wǒ dào syué siào cyù
　　　xué xiào qù
I'm going to school.

甲：你到學校去做什麼？
nǐ dào syué siào cyù zuò shé me
　　 xué xiào qù　　　 me
Why are you going to school?

乙：我到學校去學中文。
wǒ dào syué siào cyù syué jhong wún
　　 xué xiào qù　 xué zhōng wén
I am going to school to study Chinese.

你到那裡去？
nǐ dào nǎ lǐ cyù
　　　　 qù
Where are you going?

甲：我也到學校去。
wǒ yě dào syué siào cyù
　　　　 xué xiào qù
I am also going to school.

乙：你到學校去做什麼？
nǐ dào syué siào cyù zuò shé me
　　 xué xiào qù　　　 me
Why are you going to school?

甲：我到學校去教中文。
wǒ dào syué siào cyù jiao jhong wún
　　 xué xiào qù jiāo zhōng wén
I am going to school to teach Chinese.

中英文版

第五課　誰是老師？
Lesson 5　Who Is The Teacher?

一　課文　TEXT

甲：你到這裡來學中文嗎？
nǐ dào jhè lǐ lái syué jhong wún mǎ
　　　 zhè　　　　 xué zhōng wén ma

Do you come here to learn Chinese?

乙：是的，我來學中文。
shìh dě　　 wǒ lái syué jhong wún
shì de　　　　　 xué zhōng wén

Yes, I come here to learn Chinese.

甲：那麼我們是同學。
nà mě wǒ mén shìh tóng syué
　 me　 men shì　　 xué

Then we are classmates.

乙：誰是我們的老師？
shéi shìh wǒ mén dě lǎo shih
　　 shì　　 men de　　 shī

Who is our teacher?

甲：李先生是我們的老師。
Lǐ sian sheng shìh wǒ mén dě lǎo shih
　 xiān shēng shì　　 men de　　 shī

Mr. Li is our teacher.

乙：他是華人嗎？
ta shìh huá rén mǎ
tā shì　　　　 ma

Is he Chinese?

甲：他是華人，他會說中文
ta shìh huá rén　 ta huèi shuo jhong wún
tā shì　　　　　 tā hùi shuō zhōng wén

也會寫中文。
yě huèi siě jhong wún
　 hùi xiě zhōng wén

Yes, he is Chinese. He can speak Chinese and write Chinese words.

二 字與詞 WORDS AND PHRASES

這裡（ㄓㄜˋ ㄌㄧˇ；jhè/zhè lǐ）here

到這裡來。
dào jhè lǐ lái
zhè
Come here.

到這裡來學中文。
dào jhè lǐ lái syué jhong wún
zhè xué zhōng wén
Come here to learn Chinese.

這裡是我們的學校。
jhè lǐ shìh wǒ měn dě syué siào
zhè shì men de xué xiào
Here is our school.

來（ㄌㄞˊ；lái）come

來：一 厂 𠂹 𠕁 ⿻ 來 來 來

到這裡來
dào jhè lǐ lái
zhè
come here

到學校來
dào syué siào lái
xué xiào
come to school

我來學中文。
wǒ lái syué jhong wún
xué zhōng wén
I come to learn Chinese.

的（˙ㄉㄜ；dě/de）a particle used to connect two portions of speech (esp. nouns) so that the former often becomes a possessive, or an adjective or an adverb or a nominalized adjectival or adverbial clause

的：′ 亻 白 白 白 的 的 的

是的，我來學中文。
shìh dě wǒ lái syué jhong wún
shì de xué zhōng wén
Yes, I come to learn Chinese.

他是我們的老師。
ta shìh wǒ měn dě lǎo shih
tā shì men de shī
He is our teacher.

我ㄨㄛˇ們ㄇㄣˊ是ㄕˋ他ㄊㄚ的ㄉㄜ˙學ㄒㄩㄝ生ㄕㄥ。
wǒ mèn shìh ta dě syué sheng
   men shì tā de xué shēng
We are his students.

同學（ㄊㄨㄥˊ ㄒㄩㄝˊ；tóng syué/ xué）classmates, schoolmates

同：丨 冂 冂 同 同 同

我ㄨㄛˇ們ㄇㄣˊ都ㄉㄡ是ㄕˋ來ㄌㄞˊ學ㄒㄩㄝ中ㄓㄨㄥ文ㄨㄣˊ，我ㄨㄛˇ們ㄇㄣˊ是ㄕˋ同ㄊㄨㄥˊ學ㄒㄩㄝ。
wǒ mèn dou shìh lái syué jhong wún   wǒ mèn shìh tóng syué
   men dōu shì   xué zhōng wén   men shì   xué
We all come to learn Chinese. We are classmates.

我ㄨㄛˇ的ㄉㄜ˙同ㄊㄨㄥˊ學ㄒㄩㄝ都ㄉㄡ會ㄏㄨㄟˋ說ㄕㄨㄛ中ㄓㄨㄥ文ㄨㄣˊ。
wǒ dě tóng syué dou huèi shuo jhong wún
   de tóng xué dōu hùi shuō zhōng wén
All my classmates can speak Chinese.

誰（ㄕㄟˊ；shéi）who

誰：ˋ ㇒ ㇒ ㄧ 言 言 言 訁 訲 訲 訲 誹 誰 誰

華人（ㄏㄨㄚˊ ㄖㄣˊ；huá rén）Chinese

華：一 十 ⺜ ⺿ ⺿ 苎 莈 莈 莁 荳 荳 華

人：ノ 人

誰ㄕㄟˊ是ㄕˋ老ㄌㄠˇ師ㄕ？
shéi shìh lǎo shih
   shì   shī
Who is the teacher?

誰ㄕㄟˊ是ㄕˋ華ㄏㄨㄚˊ人ㄖㄣˊ？
shéi shìh huá rén
   shì
Who is Chinese?

誰ㄕㄟˊ是ㄕˋ我ㄨㄛˇ們ㄇㄣˊ的ㄉㄜ˙老ㄌㄠˇ師ㄕ？
shéi shìh wǒ mèn dě lǎo shih
   shì   men de   shī
Who is our teacher?

我ㄨㄛˇ們ㄇㄣˊ的ㄉㄜ˙老ㄌㄠˇ師ㄕ是ㄕˋ誰ㄕㄟˊ？
wǒ mèn dě lǎo shih shìh shéi
   men de   shī shì
Who is our teacher?

中華民國台灣（ㄓㄨㄥ ㄏㄨㄚˊ ㄇㄧㄣˊ ㄍㄨㄛˊ ㄊㄞˊ ㄨㄢ
；jhong/zhōng huá mín guó tái wan/wān）Taiwan, Republic of China

民：ㄱ ㄱ ㄕ ㄕ 民

國：丨 冂 冂 冂 冋 同 同 國 國 國 國

台： ㄥ ㄙ 台 台 台

灣： ` ` ` ` ̀ ̀ ̀ ̀ ̀ ̀ ̀ ̀ ̀ ̀ ̀ ̀ ̀ ̀ ̀ ̀ ̀ 灣 灣 灣

你是那國人？
nǐ shìh nǎ guó rén
　　shì
Where are you from?

我是中華民國台灣人。
wǒ shìh jhong huá mín guó tái wan rén
　　shì zhōng　　　　　　　　　wān
I am Chinese from Taiwan.

誰是日本人？
shéi shìh rìh běn rén
　　shì
Who is Japanese?

他是日本人。
ta shìh rìh běn rén
　　shì
He is Japanese.

會（ㄏㄨㄟˋ； huèi/hùi）can, will

會： ノ 人 今 今 合 命 命 命 命 會 會 會 會

他會說中文。
ta huèi shuo jhong wún
tā hùi shuō zhōng wén
He can speak Chinese.

我會寫中文。
wǒ huèi siě jhong wún
　　hùi xiě zhōng wén
I can write Chinese characters.

你會不會說中文？
nǐ huèi bú huèi shuo jhong wún
　　hùi　　hùi shuō zhōng wén
Can you speak Chinese?

他不會說中文。
ta bú huèi shuo jhong wún
tā　　hùi shuō zhōng wén
He can't speak Chinese.

說話（ㄕㄨㄛ ㄏㄨㄚˋ； shuo/shuō huà）speak, say

說： ` ̀ ̀ ̀ 言 言 言 言 訁 訁 誁 誁 誁 說

話： ` ̀ ̀ ̀ 言 言 言 訁 訁 訁 話 話 話

他說什麼？
ta shuo shé me
tā shuō　　me
What did he say?

他說他很忙。
ta shuo ta hěn máng
tā shuō tā
He said he was very busy.

他會說那國話？
ta huèi shuo nǎ guó huà
tā hùi shuō
What language can he speak?

他會說中文。
ta huèi shuo jhong wún
tā hùi shuō zhōng wén
He can speak Chinese.

寫字（ㄒㄧㄝˇ ㄗˋ；siě zìh/xiě zì）write(words/ characters)

寫：丶丶宀宀宀宀宀宀宀宀宀宀寫寫寫寫寫

字：丶丶宀宀宀字

你會寫中文嗎？
nǐ huèi siě jhong wún mǎ
hùi xiě zhōng wén ma
Can you write Chinese characters?

我會寫中文。
wǒ huèi siě jhong wún
hùi xiě zhōng wén
I can write Chinese characters.

你會寫毛筆字嗎？
nǐ huèi siě máo bǐ zìh mǎ
hùi xiě zì ma
Can you write with a writing brush?

我會寫毛筆字。
wǒ huèi siě máo bǐ zìh
hùi xiě zì
I can write with a writing brush.

三 溫習 REVIEW

甲：你到這裡來學中文嗎？

乙：是的，我來學中文。

甲：那麼我們是同學。

乙：誰是我們的老師？

甲：李先生是我們的老師。

乙：他是華人嗎？

甲：他是華人，他會說中文也會寫中文。

四 應₂用₂ EXTENDED PRACTICE

甲₂：誰₂是₂我₂們₂的₂老₂師₂？
shéi shìh wǒ měn dě lǎo shih
shì men de shī
Who is our teacher?

乙₂：李₂先₂生₂是₂我₂們₂的₂老₂師₂。
Lǐ sian sheng shìh wǒ měn dě lǎo shih
xiān shēng shì men de shī
Mr. Li is our teacher.

甲₂：他₂教₂我₂們₂什₂麼₂？
ta jiao wǒ měn shé mě
tā jiāo men me
What does he teach us?

乙₂：他₂教₂我₂們₂說 中 文₂，
ta jiao wǒ měn shuo jhong wún
tā jiāo men shuō zhōng wén
He teaches us to speak Chinese.

他₂也₂教₂我₂們₂寫₂毛₂筆₂字₂。
ta yě jiao wǒ měn siě máo bǐ zìh
tā jiāo men xiě zì
He also teaches us to write with a writing brush.

甲₂：你₂也₂來₂學 中 文₂嗎₂？
nǐ yě lái syué jhong wún mǎ
xué zhōng wén ma
Do you come to learn Chinese?

乙₂：是₂的₂，我₂們₂都₂是₂李₂老₂師₂的₂學₂生₂。
shìh dě wǒ měn dou shìh Lǐ lǎo shih dě syué sheng
shì de men dōu shì shī de xué shēng
Yes, we are all Mr. Li's students.

甲₂：那₂麼₂我₂們₂是₂同₂學₂。
nà mě wǒ měn shìh tóng syué
me men shì xué
Then we are classmates.

第ㄉㄧˋ六ㄌㄧㄡˋ課ㄎㄜˋ   幾ㄐㄧˇ個ㄍㄜˋ學ㄒㄩㄝˊ生ㄕㄥ？
Lesson 6   How Many Students?

一   課ㄎㄜˋ文ㄨㄣˊ TEXT

甲ㄐㄧㄚˇ：你ㄋㄧˇ有ㄧㄡˇ幾ㄐㄧˇ個ㄍㄜˋ學ㄒㄩㄝˊ生ㄕㄥ？
nǐ yǒu jǐ gě syué sheng
　　　　ge xué shēng

How many students do you have?

乙ㄧˇ：我ㄨㄛˇ有ㄧㄡˇ二ㄦˋ十ㄕˊ五ㄨˇ個ㄍㄜˋ學ㄒㄩㄝˊ生ㄕㄥ。
wǒ yǒu èr shíh wǔ gě syué sheng
　　　　　　shí　　ge xué shēng

I have twenty-five students.

甲ㄐㄧㄚˇ：他ㄊㄚ們ㄇㄣ都ㄉㄡ是ㄕˋ大ㄉㄚˋ人ㄖㄣˊ吧ㄅㄚ？
ta měn dou shìh dà rén bǎ
tā men dōu shì　　　　ba

Are they all adults?

乙ㄧˇ：不ㄅㄨˋ一ㄧˊ定ㄉㄧㄥˋ，有ㄧㄡˇ大ㄉㄚˋ人ㄖㄣˊ，也ㄧㄝˇ有ㄧㄡˇ小ㄒㄧㄠˇ孩ㄏㄞˊ。
bù yí dìng　 yǒu dà rén　　yě yǒu siǎo hái
　　　　　　　　　　　　　　　　 xiǎo

Not all of them. Some are adults and some are children.

甲ㄐㄧㄚˇ：有ㄧㄡˇ女ㄋㄩˇ生ㄕㄥ嗎ㄇㄚˇ？
yǒu nyǔ sheng mǎ
　　　　 shēng ma

Are there any female students?

乙ㄧˇ：有ㄧㄡˇ，一ㄧˊ半ㄅㄢˋ是ㄕˋ女ㄋㄩˇ生ㄕㄥ，一ㄧˊ半ㄅㄢˋ是ㄕˋ男ㄋㄢˊ生ㄕㄥ。
yǒu　 yí bàn shìh nyǔ sheng　 yí bàn shìh nán sheng
　　　　　　 shì　　shēng　　　　　shì　　shēng

Yes, half are girls and half are boys.

二　字 與 詞　WORDS AND PHRASES

有（ㄧㄡˇ；yǒu）have, there is / are

有：一ナ才冇有有

你 有 筆 嗎？
nǐ yǒu bǐ mǎ
　　　　　　ma
Do you have a pen?

你 有 書 嗎？
nǐ yǒu shu mǎ
　　　　shū ma
Do you have a book?

你 有 什 麼 筆？
nǐ yǒu shé mě bǐ
　　　　　　me
What kind of pen do you have?

你 有 什 麼 書？
nǐ yǒu shé mě shu
　　　　　　me shū
What kind of book do you have?

幾（ㄐㄧˇ；jǐ）how many, a few

幾：ˊ ˊ ㄠ ㄠˊ ㄠ ㄠ 丝 丝 丝 丝 幾 幾 幾

幾 本 書？
jǐ běn shu
　　　　shū
How many books are there?

幾 枝 筆？
jǐ jhih bǐ
　　zhī
How many pens are there?

你 有 幾 本 書？
nǐ yǒu jǐ běn shu
　　　　　　shū
How many books do you have?

你 有 幾 枝 筆？
nǐ yǒu jǐ jhih bǐ
　　　　　zhī
How many pens do you have?

個（ㄍㄜˋ；gè）　（˙ㄍㄜ；gě/ge）a classifier used after a demonstrative or
　　　　　　　　　　　　　　　　　　　　　a quantifier and before a noun

個：ノ亻亻们们個個個個個

一ㄧˊ個ㄍㄜˋ
yí gè
ge
one

兩ㄌㄧㄤˇ個ㄍㄜˋ
liǎng gè
ge
two

幾ㄐㄧˇ個ㄍㄜˋ
jǐ gè
ge
a few

個ㄍㄜˋ個ㄍㄜˋ
gè gè
each one

你ㄋㄧˇ有ㄧㄡˇ幾ㄐㄧˇ個ㄍㄜˋ學ㄒㄩㄝˊ生ㄕㄥ？
nǐ yǒu jǐ gè syué sheng
ge xué shēng
How many students do you have?

我ㄨㄛˇ有ㄧㄡˇ十ㄕˊ二ㄦˋ個ㄍㄜˋ學ㄒㄩㄝˊ生ㄕㄥ。
wǒ yǒu shíh èr gè syué sheng
shí ge xué shēng
I have twelve students.

個ㄍㄜˋ個ㄍㄜˋ學ㄒㄩㄝˊ生ㄕㄥ都ㄉㄡ用ㄩㄥˋ功ㄍㄨㄥ。
gè gè syué sheng dou yòng gong
xué shēng dōu gōng
Each one of the students works hard.

十（ㄕˊ；shíh/shí）ten

十：一十
十ㄕˊ
shíh
shí
ten

十ㄕˊ一ㄧ
shíh yi
shí yī
eleven

十ㄕˊ二ㄦˋ
shíh èr
shí
twelve

十三
shíh san
shí sān
thirteen

三十
san shíh
sān shí
thirty

十四
shíh sìh
shí sì
fourteen

四十
sìh shíh
sì shí
forty

十五
shíh wǔ
shí
fifeen

五十
wǔ shíh
shí
fifty

十六
shíh liòu
shí liù
sixteen

六十
liòu shíh
liù shí
sixty

十七
shíh ci
shí qī
seventeen

八十三
ba shíh san
bā shí sān
eighty-three

十八
shíh ba
shí bā
eighteen

九十七
jiǒu shíh ci
jiǔ shí qī
ninety-seven

十九
shíh jiǒu
shí jiǔ
nineteen

二十
èr shíh
shí
twenty

二十一
èr shíh yi
shí yī
twenty-one

二十九
èr shíh jiǒu
shí jiǔ
twenty-nine

大（ㄉㄚˋ；dà）big, large

大：一 ナ 大

小（ㄒㄧㄠˇ；siǎo/xiǎo）small

小：亅 小 小

大
dà
large

中
jhong /zhōng
medium

小
siǎo /xiǎo
small

大學
dà syué
　 xué
university

中學
jhong syué
zhōng xué
middle school

小學
siǎo syué
xiǎo xué
elementary school

大學校
dà syué siào
　 xué xiào
big school

小學校
siǎo syué siào
xiǎo xué xiào
small school

大人
dà rén
adult

小孩
siǎo hái
xiǎo
child

孩（ㄏㄞˊ；hái）child; children

孩：ㄱ 了 孑 孑 孑 孖 孖 孩 孩

小ㄒㄧㄠˇ孩ㄏㄞˊ
siǎo hái
xiǎo
child

孩ㄏㄞˊ子ㄗ
hái zih
zi
child

男ㄋㄢˊ孩ㄏㄞˊ
nán hái
boy

女ㄋㄩˇ孩ㄏㄞˊ
nyǔ hái
girl

男ㄋㄢˊ孩ㄏㄞˊ子ㄗ
nán hái zih
zi
boy

女ㄋㄩˇ孩ㄏㄞˊ子ㄗ
nyǔ hái zih
zi
girl

男（ㄋㄢˊ；nán）male student

男：ㄧ 口 曰 田 田 男 男

女（ㄋㄩˇ；nyǔ）female student

女：ㄑ ㄑ 女

男ㄋㄢˊ人ㄖㄣˊ
nán rén
man

女ㄋㄩˇ人ㄖㄣˊ
nyǔ rén
woman

男ㄋㄢˊ孩ㄏㄞˊ子ㄗ
nán hái zih
zi
boy

女ㄋㄩˇ孩ㄏㄞˊ子ㄗ
nyǔ hái zih
zi
girl

中英文版

男學生（男生）
nán syué sheng　nán sheng
　　xué shēng　　sheng
male student

女學生（女生）
nyǔ syué sheng　nyǔ sheng
　　xué shēng　　sheng
female student

男老師
nán lǎo shih
　　　shī
male teacher

女老師
nyǔ lǎo shih
　　　shī
female teacher

吧（˙ㄅㄚ；bǎ/ba）sentence final particle used to solicit agreement

吧：丨 ㄇ ㄇ ㄇ ㄇ 吧

一定（一ˊ ㄉㄧㄥˋ；yí dìng）definitely, necessarily

不一定（ㄅㄨˋ 一ˊ ㄉㄧㄥˋ；bù yí dìng）not necessarily

定：ˋ ˙ ㄇ 宀 宀 宀 定 定

一定
yí dìng
definitely

你一定很忙。
nǐ yí dìng hěn máng
you must be very busy.

他一定是老師。
ta yí dìng shìh lǎo shih
tā　　　shì　　shī
He is definitely the teacher.

他一定會說中文。
ta yí dìng huèi shuo jhong wún
tā　　　hùi shuō zhōng wén
He definitely can speak Chinese.

好學生一定是男的嗎？
hǎo syué sheng yí dìng shìh nán dè mǎ
　　xué shēng　　　　shì　　de ma
Are good students necessarily boys?

不一定，有男的，有女的。
bù yí dìng　yǒu nán dè　　yǒu nyǔ dè
　　　　　　　　　de　　　　　　de
Not necessarily. Some are boys, and some are girls.

半（ㄅㄢˋ；bàn）half

半：ˋ ˋ ˇ ㅗ 半

一半
yí bàn
half

我的學生一半是男的，一半是女的。
wǒ dě syué sheng yí bàn shìh nán dě　　yí bàn shìh nyǔ dě
　de xué shēng　　　shì　　de　　　shì　　nyǔ de

Half of my students are male, half are female.

他的學生一半是大人，一半是小孩。
ta dě syué sheng yí bàn shìh dà rén　　yí bàn shìh siǎo hái
tā de xué shēng　　　shì　　　　　shì xiǎo

Half of his students are adults, half are children.

我的書一半是中文的，一半是英文的
wǒ dě shu yí bàn shìh jhong wún dě　　yí bàn shìh ying wún dě
　de shū　　　shì zhōng wén de　　　shì yīng wén de

Half of my books are Chinese, and half are English.

這些筆一半是他的，一半是我的。
jhè sie bǐ yí bàn shìh ta dě　　yí bàn shìh wǒ dě
zhè xiē　　　shì tā de　　　shì　　de

Half of the pens are his, and half are mine.

 溫習 REVIEW

 甲：你有幾個學生？

 乙：我有二十五個學生。

 甲：他們都是大人吧？

 乙：不一定，有大人也有小孩。

 甲：有女生嗎？

 乙：有，一半是女生，一半是男生。

四　應用 EXTENDED PRACTICE

（一）

甲：你有幾枝筆？
nǐ yǒu jǐ jhih bǐ
　　　　　zhī
How many pens do you have?

乙：我有六枝筆。
wǒ yǒu liòu jhih bǐ
　　　liù zhī
I have six pens.

甲：都是毛筆嗎？
dou shìh máo bǐ mǎ
dōu shì　　　ma
Are they all writing brushes?

乙：不都是，兩枝是毛筆，四枝是原子筆。
bù dou shìh　liǎng jhih shìh máo bǐ　sìh jhih shìh yuán zǐh bǐ
　dōu shì　　　zhī shì　　　　sì zhī shì　　zǐ
Not all of them. Two of them are writing brushes, and four are ball point pens.

甲：你有幾本書？
nǐ yǒu jǐ běn shu
　　　　　　shū
How many books do you have?

乙：我有二十本書，一半是中文的，
wǒ yǒu èr shíh běn shu　yí bàn shìh jhong wún dě
　　　　shí　shū　　　　　　shì zhōng wén de
一半是英文的。
yí bàn shìh ying wún dě
　　　shì yīng wén de
I have twenty books. Half are Chinese, and half are English.

（二）

甲：李太太，你有孩子吧？
Lǐ tài tǎi　nǐ yǒu hái zih bǎ
　tai　　　　　　zi ba
Mrs. Li, do you have any children?

乙：有兩個，一個男的，一個女的。
yǒu liǎng gě　yí gě nán dě　yí gě nyǔ dě
　　　ge　　ge　de　　ge　de
Yes, I have two children. One is a boy, and the other is a girl.

（三）

甲：老師都很忙吧？
lǎo shih dou hěn máng bǎ
　shī dōu　　　ba
Are teachers always very busy?

乙：不一定，有的忙，有的不忙。
bù yí dìng　yǒu dě máng　yǒu dě bù máng
　　　　　de　　　de
Not necessarily. Some are busy, and some are not busy.

第七課 學校真大
Lesson 7　　　　The School Is Really Big

一 課文 TEXT

甲：這所學校有多少學生？
jhè suǒ syué siào yǒu duo shǎo syué sheng
zhè　xué xiào　duō　xué shēng
How many students are there in this school?

乙：有兩千五百多個學生。
yǒu liǎng cian wǔ bǎi duo gè syué sheng
　　　　qiān　　　duō ge xué shēng
There are about 2,500 students.

甲：這所學校真不小。
jhè suǒ syué siào jhen bù siǎo
zhè　xué xiào zhēn　xiǎo
This school is quite big.

乙：是啊，這是所大學校。
shìh å　　jhè shìh suǒ dà syué siào
　a　　zhè shì　　　xué xiào
Yes, this is a big school.

甲：學校裡有沒有外國學生？
syué siào lǐ yǒu méi yǒu wài guó syué sheng
xué xiào　　　　　　　xué shēng
Are there any foreign students in the school?

乙：外國學生很多。
wài guó syué sheng hěn duo
　　xué shēng　　duō
There are many foreign students.

中ㄓㄥ英ㄥ文ㄨㄣ版ㄅㄢ

 字ˋ與ˇ詞ˊ WORDS AND PHRASES

所（ㄙㄨㄛˇ；suǒ）a classifier used after a demonstrative or quantifier and before a noun

所：`ㄏㄏㄏㄏ所所所

一ˋ所ㄙㄨㄛˇ學ㄒㄩㄝ校ㄒㄠ
yì　suǒ syué siào
　　　　xué　xiào

a school

一ˋ間ㄐㄧㄢ房ㄈㄤ子ㄗ
yì　jian　fáng zih
　　　　　　zi

a house

這ㄓㄜ間ㄐㄧㄢ房ㄈㄤ子ㄗ很ㄏㄣ好ㄏㄠ。
jhè jian fáng zih hěn hǎo
zhè jiān　zi

This house is very good.

那ㄋㄚ所ㄙㄨㄛˇ學ㄒㄩㄝ校ㄒㄠ很ㄏㄣ大ㄉㄚ。
nà suǒ syué siào hěn dà
　　　xué xiào

That school is very big.

多（ㄉㄨㄛ；duo/duō）much, few many

多：ㄥㄆㄆㄆ多多

少（ㄕㄠˇ；shǎo）little, few

少：ㄧㄐㄒ少

多少（ㄉㄨㄛ ㄕㄠˇ；duo/duō　shǎo）how many, more or less

我ㄨㄛ的ㄉㄜ書ㄕㄨ很ㄏㄣ少ㄕㄠ。
wǒ　dě　shu hěn shǎo
　　de　shū

My books are very few in number.

他ㄊㄚ的ㄉㄜ書ㄕㄨ很ㄏㄣ多ㄉㄨㄛ。
ta　dě　shu hěn duo
tā　de　shū　　　duō

His books are very many in number.

你ㄋㄧ的ㄉㄜ書ㄕㄨ有ㄧㄡ多ㄉㄨㄛ少ㄕㄠ？
nǐ　dě　shu yǒu duo shǎo
　　de　shū　　　duō

How many books do you have?

王ㄨㄤ先ㄒㄧㄢ生ㄕㄥ有ㄧㄡ多ㄉㄨㄛ少ㄕㄠ書ㄕㄨ？
Wáng sian sheng yǒu duo shǎo shu
　　　xiān shēng　　　duō　　shū

How many books does Mr. Wang have?

百（ㄅㄞˇ；bǎi）100

百：一 ﹁ ㄱ 丆 丂 百 百

千（ㄑㄧㄢ；cian/qiān）1,000

千：ㄚ 二 千

萬（ㄨㄢˋ；wàn）10,000

萬：丶 一 艹 节 芢 芦 苩 苒 莒 萬 萬 萬

零（ㄌㄧㄥˊ；líng）0

零：一 ㄏ 宀 雨 雨 雨 雨 雾 雰 雭 雭 零 零

五ㄨˇ 百ㄅㄞˇ 零ㄌㄥˊ 六ㄌㄡˋ
wǔ bǎi líng liòu
　　　　　　liù

506

五ㄨˇ 百ㄅㄞˇ 六ㄌㄡˋ 十ㄕˊ
wǔ bǎi liòu shíh
　　　liù shí

560

五ㄨˇ 百ㄅㄞˇ 六ㄌㄡˋ 十ㄕˊ 六ㄌㄡˋ
wǔ bǎi liòu shíh liòu
　　　liù shí liù

566

一ㄧˋ 千ㄑㄢ
yì cian
　　qiān

1,000

兩ㄌㄤˇ 千ㄑㄢ 一ㄧ 百ㄅㄞˇ
liǎng cian yi bǎi
　　　qiān yī

2,100

三ㄙㄢ 千ㄑㄢ 兩ㄌㄤˇ 百ㄅㄞˇ 五ㄨˇ 十ㄕˊ
san cian liǎng bǎi wǔ shíh
sān qiān　　　　　　shí

3,250

六ㄌㄡˋ 千ㄑㄢ 三ㄙㄢ 百ㄅㄞˇ 八ㄅㄚ 十ㄕˊ 九ㄐㄡˇ
liòu cian san bǎi ba shíh jiǒu
liù qiān sān　　bā shí jiǔ

6,389

六ㄌㄡˋ 千ㄑㄢ 零ㄌㄥˊ 四ㄙˋ 十ㄕˊ 二ㄦ
liòu cian líng sìh shíh èr
liù qiān　　sì shí

6,042

兩萬兩千兩百二十二
liǎng wàn liǎng cian liǎng bǎi èr shíh èr
　　　　　qiān　　　　　　shí
22,222

七萬八千
ci wàn ba cian
qī　　bā qiān
78,000

三百五　＝　三百五十
san bǎi wǔ　　　san bǎi wǔ shíh
sān　　　　　　sān　　　shí
350

四千八　＝　四千八百
sìh cian ba　　　sìh cian ba bǎi
sì qiān bā　　　sì qiān bā
4,800

七萬六　＝　七萬六千
ci wàn liòu　　　ci wàn liòu cian
qī　 lìu　　　　qī　 lìu qiān
76,000

真（ㄓㄣ；jhen/zhēn）real, really

真：一 十 广 市 直 直 直 真 真

這所學校真大。
jhè suǒ syué siào jhen dà
zhè　 xué xiào zhēn dà
This school is really big.

他的書真多。
ta dě shu jhen duo
tā de shū zhēn duō
His books are very many in number.

王小姐真忙。
Wáng siǎo jiě jhen máng
　　 xiǎo　　 zhēn
Miss Wang is really busy.

這本書真好。
jhè běn shu jhen hǎo
zhè　　 shū zhēn
This book is really good.

這枝筆真好寫。
jhè jhih bǐ jhen hǎo siě
zhè zhī　 zhēn　　 xiě
This pen is really good for writing.

啊（‧ㄚ；å/a）sentence final particle, used to reduce the forcefulness of the message

啊：ˋ ㄐ ㄇ ㄇ ㄇ ㄇ 哹 哹 哹 哹 啊

您早啊。
nín zǎo å
a

Good morning.

您好啊。
nín hǎo å
a

How are you?

你忙不忙啊？
nǐ máng bù máng å
a

Are you busy?

我們去學中文好不好？
wǒ měn cyù syué jhong wún hǎo bù hǎo
men qù xué zhōng wén

Let's go study Chinese, OK?

好啊。
hǎo å
a

OK.

學校很大，是不是？
syué siào hěn dà shìh bú shìh
xué xiào shì shì

This school is very big, isn't it?

是啊。
shìh å
shì a

Yes.

沒（ㄇㄟˊ；méi） no, not

沒：ˋ ˊ ㄔ ㄔ 沪 汐 沒

你有沒有筆？
nǐ yǒu méi yǒu bǐ
Do you have a pen?

我沒有筆。
wǒ méi yǒu bǐ
No, I do not have a pen.

你有沒有書？
nǐ yǒu méi yǒu shu
shū
Do you have a book?

我沒有書。
wǒ méi yǒu shu
shū
No, I don't have a book.

這個字，老師沒教。
jhè gě zìh   lǎo shih méi jiao
zhè ge zì   shī   jiāo
The teacher did not teach this word.

這本書，學校沒有。
jhè   běn shu   syué siào méi yǒu
zhè   shū   xué xiào
This book isn't found in the school.

外（ㄨㄞˋ；wài）out, foreign

外：ノクタ外外

外國人
wài guó rén
foreigner

外國話
wài guó huà
foreign language

外國學生很多
wài guó syué sheng hěn duo
            xué shēng   duō
many foreign students

三　溫習 REVIEW

 甲：這所學校有多少學生？

 乙：有兩千五百多個學生。

 甲：這所學校真不小。

 乙：是啊，這是所大學校。

 甲：學校裡有沒有外國學生？

 乙：外國學生很多。

四 應用 EXTENDED PRACTICE

甲：你有多少本書？
nǐ yǒu duo shǎo běn shu
       duō   shū

How many books do you have?

乙：我有一萬多本。
wǒ yǒu yí wàn duo běn
             duō

I have over ten thousand books.

甲：你的書真多。
nǐ dě shu jhen duo
  de shū zhēn duō

You have a lot of books.

乙：是啊。我的書不少。
shih å   wǒ dě shu bù shǎo
shì a   de shū

Yes, I have quite many books.

甲：這裡有幾所中文學校？
jhè lǐ yǒu jǐ suǒ jhong wún syué siào
zhè   zhōng wén xué xiào

How many Chinese schools are there around here?

乙：一所也沒有。
yì suǒ yě méi yǒu

Not even one.

甲：你有沒有孩子？
nǐ yǒu méi yǒu hái zih
              zi

Do you have children?

乙：有兩個，兩個都是男孩。
yǒu liǎng gě   liǎng gě dou shìh nán hái
     ge   ge dōu shì

Yes, I have two. Both are boys.

甲：他們有沒有學中文？
ta měn yǒu méi yǒu syué jhong wún
tā men   xué zhōng wén

Have they learned to speak Chinese?

乙：他們沒學。
ta měn méi syué
tā men   xué

No, they have not.

中英文版

第八課　　差不多
Lesson 8　　Almost Alike

一　課文　TEXT

甲：學校有很多外國學生，是嗎？
syué siào yǒu hěn duo wài guó syué sheng　shìh må
xué xiào　　　　　duō　　　xué shēng　shì ma

There are many foreign students at the school, aren't there?

乙：是啊，有很多。
shìh å　　　yǒu hěn duo
shì a　　　　　　duō

Yes, there are a lot.

甲：比本國學生還多嗎？
bǐ běn guó syué sheng hái duo　må
　　　　xué shēng　　duō ma

More than local students?

乙：不，比本國學生少。
bù　　bǐ běn guó syué sheng shǎo
　　　　　xué shēng

No, less than local students.

甲：男生跟女生一樣多嗎？
nán sheng gen nyǔ sheng yí yàng duo　må
　　shēng gēn　　shēng　　　　duō ma

Are there as many boys as girls?

乙：差不多一樣多。
chà bù duo　yí yàng duo
　　duō　　　　　duō

No, they are about the same.

甲：男生跟女生一樣聰明嗎？
nán sheng gen nyǔ sheng yí yàng cong míng mǎ
　　shēng gēn　　shēng　　　　cōng　　　ma
Are boys as intelligent as girls?

乙：不一定，有的聰明，有的笨。
bù yí dìng　yǒu dě cong míng　yǒu dě bèn
　　　　　　　　de cōng　　　　　　de
Not necessarily, some are smart, and some are stupid.

甲：男生用功還是女生用功？
nán sheng yòng gong hái shih nyǔ sheng yòng gong
　　shēng　　gōng　　shì　　　shēng　　　gōng
Do boys or girls work harder?

乙：他們都很用功。
ta mèn dou hěn yòng gong
tā men dōu　　　　gōng
They all work very hard.

二 字與詞　WORDS AND PHRASES

比（ㄅㄧˇ；bǐ）to compare with (this comparison morpheme frequently implies superiority)

比：一ㄈ 上 比

老師比學生忙。
lǎo shih　bǐ　syué sheng máng
　　shī　　　xué shēng
The teacher is busier than the students.

你比我聰明。
nǐ　bǐ　wǒ cong míng
　　　　　cōng
You are smarter than I am.

他比我用功。
ta　bǐ　wǒ yòng gong
tā　　　　　　gōng
He works harder than I do.

男生比女生多。
nán sheng bǐ nyǔ sheng duo
　　shēng　　　　shēng duō
There are more boys than girls.

女生比男生少。
nyǔ sheng bǐ　nán sheng shǎo
　　shēng　　　　　shēng
There are fewer girls than boys.

還（ㄏㄞˊ；hái）still even, yet, also

還：一ㄇㄇㄦ四ㄖㄛ罒罒罙罘罻罻睘睘還還還還

他的書比我的還多。

ta dě shu bǐ wǒ dě hái duo
tā de shū　　　de　　duō

He has even more books than I do.

小孩比大人還用功。

siǎo hái bǐ dà rén hái yòng gong
xiǎo　　　　　　　　　　　gōng

The children work even harder than adults.

還是（ㄏㄞˊ ㄕˋ；hái shìh/shì）or

你的書多，還是我的書多？

nǐ dě shu duo　hái shìh wǒ dě shu duo
　de shū duō　　shì　　de shū duō

Are your books greater in number, or are mine?

男生聰明，還是女生聰明？

nán sheng cong míng　hái shìh nyǔ sheng cong míng
　sheng cōng　　　　shì　　shēng cōng

Are boys wiser, or are girls?

你去，還是我去？

nǐ cyù　hái shìh wǒ cyù
　qù　　shì　　qù

Are you going, or am I ?

還是你去吧。

hái shìh nǐ cyù bǎ
shì　　qù ba

It would be better if you go.

跟（ㄍㄣ；gen/gēn）with, and

和（ㄏㄢˋ；hàn）（ㄏㄜˊ；hé）and, together

跟：丨丨丨丨丨ㄐㄑㄒ ㄐㄐ 跟 跟 跟

和：一二千千禾禾和和

你跟我都是學生。

nǐ gen wǒ dou shìh syué sheng
　gēn　　dōu shì xué shēng

You and I are students.

他和我都很忙。

ta hàn wǒ dou hěn máng
tā　　　dōu

He and I are both very busy.

樣（一ㄤˋ；yàng）outlook, appearance

樣：一十十十十十十十十十样样样样樣樣

樣子
yàng zih
      zi

appearance

一樣（一ˊ 一ㄤˋ；yí yàng）as ... as, similar, like

他的筆跟我的一樣。
ta dě bǐ gen wǒ dě yí yàng
tā de   gēn   de

His pen is like mine.

大人跟小孩一樣多。
dà rén gen siǎo hái yí yàng duo
      gēn xiǎo   duō

There are as many adults as children.

女生跟男生一樣用功。
nyǔ sheng gen nán sheng yí yàng yòng gong
    shēng gēn   shēng   gōng

Girls work as hard as boys.

差（ㄔㄚ；cha/chā）（ㄔㄚˋ；chà）inferior, worse
差：ㄟ ㄟˊ ㄟˋ ㄟˇ ㄟ 羊 羊 差 差 差

我的中文比你差。
wǒ dě jhong wún bǐ nǐ cha
   de zhōng wén   chā

My Chinese is inferior to yours.

我寫的中文比他差。
wǒ siě dě jhong wún bǐ ta cha
   xiě de zhōng wén   tā chā

My Chinese writing is inferior to his.

差不多（ㄔㄚˋ ㄅㄨˋ ㄉㄨㄛ；chà bù duo/duō）almost; alike
這兩本書差不多。
jhè liǎng běn shu chà bù duo
zhè   shū   duō

The two books are almost alike.

這兩本書差不多一樣。
jhè liǎng běn shu chà bù duo yí yàng
zhè   shū   duō

The two books are almost alike.

他們兩人差不多一樣大。
ta měn liǎng rén chà bù duo yí yàng dà
tā men   duō

They are almost the same age.

這兩枝筆差不多一樣長。
jhè liǎng jhih bǐ chà bù duo yí yàng cháng
zhè   zhī   duō

These two pens are almost the same length.

中英文版

聰明（ㄘㄨㄥ ㄇㄧㄥˊ；cong/cōng míng）wise, smart

聰：一 厂 Π Ħ 用 耳 耵 耵 耶 耶 聃 聪 聰 聰 聰

明：丨 冂 日 日 旫 明 明 明

那個小孩子真聰明。
nà gě siǎo hái zih jhen cong míng
ge xiǎo zi zhēn cōng

That child is really smart.

王先生很聰明。
Wáng sian sheng hěn cong míng
xiān shēng cōng

Mr. Wang is very wise.

笨（ㄅㄣˋ；bèn）stupid

笨：ノ ニ ケ ケ ケ 竹 竹 竺 竿 笨 笨 笨

他這個人太笨。
ta jhè gě rén tài bèn
tā zhè ge

He is very stupid.

他真笨。
ta jhen bèn
tā zhēn

He is really stupid.

聰明人也會做笨事。
cong míng rén yě huèi zuò bèn shìh
cōng hùi shì

Smart people can do stupid things.

用（ㄩㄥˋ；yòng）use, by means of

用：ノ 冂 月 月 用

你用什麼筆寫字？
nǐ yòng shé me bǐ siě zih
me xiě zì

What kind of pen do you write with?

我用鉛筆寫字。
wǒ yòng cian bǐ siě zih
qiān xiě zì

I write with a pencil.

用功（ㄩㄥˋ ㄍㄨㄥ；yòng gong/gōng）work hard

功：一 工 工 巧 功

我的學生很用功。
wǒ dě syué sheng hěn yòng gong
　　de xué shēng　　　　gōng
My students work very hard.

他很聰明，也很用功。
ta hěn cong míng yě hěn yòng gong
tā　　cōng　　　　　　　　gōng
He is very smart and hard-working, too.

 三　溫習 REVIEW

 甲：學校有很多外國學生，是嗎？

 乙：是啊，有很多。

 甲：比本國學生還多嗎？

 乙：不，比本國學生少。

 甲：男生跟女生一樣多嗎？

 乙：差不多一樣多。

 甲：男生跟女生一樣聰明嗎？

 乙：不一定，有的聰明，有的笨。

 甲：男生用功還是女生用功？

 乙：他們都很用功。

四 應用 EXTENDED PRACTICE

甲：這所學校比我們學校大吧？
jhè suǒ syué siào bǐ wǒ mén syué siào dà bå
zhè   xué xiào   men xué xiào   ba
This school is bigger than ours, isn't it?

乙：差不多一樣大。
chà bù duo yí yàng dà
　　　duō
They're almost the same size.

甲：學生呢？
syué sheng nê
xué shēng ne
What about the students?

乙：學生比我們多。
syué sheng bǐ wǒ mén duo
xué shēng　　　men duō
The students are greater in number than ours.

甲：老師呢？
lǎo shih nê
　　shī ne
What about the teachers?

乙：老師比我們少。
lǎo shih bǐ wǒ mén shǎo
　　shī　　　men
They have fewer teachers than we do.

甲：那麼，還是我們學校好。
nà mě　　hái shìh wǒ mén syué siào hǎo
　　me　　　shì　　　men xué xiào
Then, our school is better.

乙：是啊，我們學校的學生很聰明，
shìh å　　wǒ mén syué siào dě syué sheng hěn cong míng
shì　a　　　men xué xiào de xué shēng　　cōng

也很用功，你說是不是？
yě hěn yòng gong　　nǐ shuo shìh bú shìh
　　　　　gōng　　　　shuō shì　　shì
Yes, our students are very smart and hard-working. Do you agree?

甲：不是！不是！我是一個笨學生。
bú shìh　　bú shìh　　wǒ shìh yí gě bèn syué sheng
　　shì　　　　shì　　　shì　　ge　　xué shēng
No! No! I am a stupid student.

中英文版

第九課 Lesson 9 　介紹 Introductions

一　課文　TEXT

甲：請問貴姓？
cǐng wùn guèi sìng
qǐng wèn gùi xìng
May I ask your name?

乙：我姓王，叫世平。
wǒ sìng Wáng　jiào shìh píng
　　 xìng　　　　　　shì
My last name is Wang.　My first name is Shih-ping.

甲：我叫林大中。那位女士是誰？
wǒ jiào Lín dà jhong　nà　wèi nyǔ shìh shìh shéi
　　　　　　 zhōng　　　　　　 shì　shì
I am called Lin Da-jung.Who is that lady?

乙：她是李有年的太太。來，我給你們介紹介紹。
ta　shìh Lǐ yǒu nián dě　tài tǎi　lái　wǒ gěi nǐ mèn jiè shào jiè shào
tā　shì　　　　　　　de　　tai　　　　　　　　　 men
李太太，這位是林先生。
Lǐ　tài tǎi　　jhè wèi shìh Lín sian sheng
　　　 tai　　zhè　　shì　　　 xiān shēng
She is Li You-nian's wife. Come and let me introduce you to each other.
Mrs. Li, this is Mr. Lin.

甲：我叫林大中，是有年的同學。
wǒ jiào Lín dà jhong　shìh yǒu nián dě tóng syué
　　　　　　 zhōng　shì　　　　　 de　　　 xué
My name is Lin Da-jung. I'm You-nian's classmate.

丙：很高興認識你。
hěn gao sìng rèn shìh nǐ
　　 gāo xìng　　shì
Pleased to meet you.

二　字與詞　WORDS AND PHRASES

請（ㄑㄧㄥˇ；cǐng/qǐng）Please

請：` 亠 ㇇ 訁 言 言 言 訁 訁 計 誌 請 請 請 請

請坐
cǐng zuò
qǐng
please sit down

請喝茶
cǐng he chá
qǐng hē
please have some tea

請說
cǐng shuo
qǐng shuō
please say

請問
cǐng wùn
qǐng wèn
May I ask, please?

問（ㄨㄣˋ；wùn/wèn）ask

問：丨 冂 冂 冏 冏 冏 門 門 門 問 問 問

請問
cǐng wùn
qǐng wèn
May I ask, please?

請問你有沒有筆？
cǐng wùn nǐ yǒu méi yǒu bǐ
qǐng wèn
May I ask if you have a pen?

請問誰是王小姐？
cǐng wùn shéi shìh Wáng siǎo jiě
cǐng wùn shéi shìh   xiǎo
May I ask who Miss Wang is?

請問，這本書有多少字？
cǐng wùn   jhè běn shu yǒu duo shǎo zìh
qǐng wèn   zhè   shū   duō   zì
May I ask how many words this book contains?

貴（ㄍㄨㄟˋ；guèi/gùi）expensive, honorable

貴：丨 冂 冃 虫 虫 虫 卑 青 青 貴 貴 貴

貴國
guèi guó
gùi
your (honorable) country

貴校
guèi siào
gùi xiào
your (honorable) school

請問貴國有多少所大學？
cǐng wùn guèi guó yǒu duo shǎo suǒ dà syué
qǐng wèn gùi   duō   xué
May I ask how many universities there are in your country?

請問貴校有多少學生？
cǐng wùn guèi siào yǒu duo shǎo syué sheng
qǐng wèn gùi xiào   duō   xué shēng
May I ask how many students in your school?

姓（ㄒㄧㄥˋ；sìng/xìng）last name, surname

姓：ㄑ ㄆ ㄨ ㄨ ㄨ ㄩ 姓 姓

請問貴姓？
cǐng wùn guèi sìng
qǐng wèn gùi xìng
May I ask your last name (surname)?

我姓王。
wǒ sìng Wáng
   xìng
My last name is Wang.

那位女士姓什麼？
nà wèi nyǔ shìh sìng shé mě
        shì xìng   me
What is the lady's last name?

她姓李，李小姐。
ta sìng Lǐ   Lǐ siǎo jiě
tā xìng   xiǎo
Her last name is Li. She is Miss Li.

叫（ㄐㄧㄠˋ；jiào）call, name

叫：ㄧ ㄇ ㄇ ㄇ 叫 叫

我叫王世平。
wǒ jiào Wáng shìh píng
           shì
I am called Wang Shih-ping.

他姓林，叫林大中。
ta sìng Lín   jiào Lín dà jhong
tā xìng   zhōng
His last name is Lin. He is called Lin Da-jung.

老師叫你去。
lǎo shih jiào nǐ cyù
    shī   qù
The teacher wants you.

他叫我去做什麼？
ta jiào wǒ cyù zuò shé me
tā　　　qù
What does he want me for?

他叫你去寫字。
ta jiào nǐ cyù siě zìh
tā　　　qù xiě zì
He wants you to write.

位（ㄨㄟˋ；wèi）a classifier (used to show respect)
位：ノ イ 仁 仵 仚 位位

學校裡有幾位老師？
syué siào lǐ yǒu jǐ wèi lǎo shih
xué xiào　　　　　　　　shī
How many teachers are there in our school?

學校裡有十五位老師。
syué siào lǐ yǒu shíh wǔ wèi lǎo shih
xué xiào　　　shí　　　　　　shī
We have fifteen teachers.

那位老師教中文？
nǎ wèi lǎo shih jiao jhong wún
　　　　　shī jiāo zhōng wén
Which one teaches Chinese?

李老師，他是一位很好的老師。
Lǐ lǎo shih　　ta shìh yí wèi hěn hǎo dě lǎo shih
　　　shī　　tā shì　　　　　　　de　　shī
Mr. Li is a very good teacher.

女士（ㄋㄩˇ ㄕˋ；nyǔ shìh/shì）lady
士：一 十 士

那位女士是誰？
nà wèi nyǔ shìh shìh shéi
　　　　shì shì
Who is that lady?

那位女士是李太太。
nà wèi nyǔ shìh shìh Lǐ tài tǎi
　　　　hì shì　　　　tai
That lady is Mrs. Li.

這位女士是王小姐。
jhè wèi nyǔ shìh shìh Wáng siǎo jiě
zhè　　　　shì shì　　　xiǎo
This lady is Miss Wang.

給（ㄍㄟˇ；gěi）give, for
給：ㄥ ㄥ ㄥ ㄥ ㄥ ㄥ 糺 紷 給給給

他給我一本書。
ta gěi wǒ yì běn shu
tā   shū
He gave me a book.

我給他一枝筆。
wǒ gěi ta yì jhih bǐ
       tā   zhī
I gave him a pen.

你叫我給你什麼？
nǐ jiào wǒ gěi nǐ shé mě
                    me
What do you want me to give you?

介紹（ㄐㄧㄝˋ ㄕㄠˋ；jiè shào）introduce

介：ノ 入 介 介

紹：ㄥ ㄠ ㄠ ㄠ ㄠ 紀 紹 紹 紹

那位小姐是誰？ 請你給我介紹介紹。
nà wèi siǎo jiě shìh shéi   cǐng nǐ gěi wǒ jiè shào jiè shào
        xiǎo   shì   qǐng
Who is that lady? Please introduce us to each other.

高（ㄍㄠ；gao/gāo）tall, high

高：ˋ 亠 亠 宁 古 宁 高 高 高 高

王先生很高。
Wáng sian sheng hěn gao
     xiān shēng   gāo
Mr. Wang is very tall.

李先生不高。
Lǐ sian sheng bù gao
    xiān shēng   gāo
Mr. Li is not tall.

高興（ㄍㄠ ㄒㄧㄥˋ；gao sìng/gāo xìng）glad, happy, pleased

興：ˊ 亻 亻 亻 目 目 目 目 目 目 目 興 興 興

我很高興。
wǒ hěn gao sìng
       gāo xìng
I'm very glad.

我跟你一樣高興。
wǒ gen nǐ yí yàng gao sìng
   gēn nǐ   gāo xìng
I am as glad as you are.

他不太高興。
ta bú tài gao sìng
tā   gāo xìng
He is not very happy.

她高興不高興？
ta gao sìng bù gao sing
tā gāo xìng gāo xìng
Is she happy or not?

認識（ㄖㄣˋ ㄕˋ；rèn shìh/shì）know, recognize

認：丶 ㇒ 言 言 言 言 言 訒 訒 訒 訒 訒 認 認

識：丶 ㇒ 言 言 言 言 言 訁 訁 訁 訁 諳 諳 諳 諳 識 識 識

你認識她嗎？
nǐ rèn shìh ta mǎ
shì tā ma
Do you know her?

我不認識她。
wǒ bú rèn shìh ta
shì tā
I don't know her.

我介紹你們認識。
wǒ jiè shào nǐ mên rèn shìh
men shì
Let me introduce you to each other.

認識你真高興。
rèn shìh nǐ jhen gao sìng
shì zhēn gāo xìng
I'm very pleased to meet you.

你認識不認識王老師？
nǐ rèn shìh bú rèn shìh Wáng lǎo shih
shì shì shī
Do you know Mr. Wang?

我不認識。
wǒ bú rèn shìh
shì
I don't know him.

你認不認識呢？
nǐ rèn bú rèn shìh ně
shì ne
How about you?

我也不認識。
wǒ yě bú rèn shìh
shì
I don't know him either.

三　溫習 REVIEW

甲：請問貴姓？

乙：我姓王，叫世平。

甲：我叫林大中。那位女士是誰？

乙：他是李有年的太太。來，我給你們介紹介紹。
李太太，這位是林先生。

甲：我叫林大中，是有年的同學。

丙：很高興認識你。

四 應用 EXTENDED PRACTICE

甲：請問， 您貴姓？
　　cǐng wùn　　nín guèi sìng
　　qǐng wèn　　　　gùi xing
May I ask what your name is?

乙：我叫林大中，我是新來的學生。
　　wǒ jiào Lín dà jhong　　wǒ shìh sin lái dě syué sheng
　　　　　　　　zhōng　　　　shì xīn　　de xué shēng
I'm called Lin Da-jhong. I am a new student.

甲：來，我給你介紹幾位同學。
　　lái　　wǒ gěi nǐ jiè shào jǐ wèi tóng syué
　　　　　　　　　　　　　　　　　　　xué

這位是王美華。 這位是李有年。
jhè wèi shìh Wáng měi huá　　jhè wèi shìh Lǐ yǒu nián
zhè wèi shì　　　　　　　zhè　　shì

那位是高大明。
nà wèi shìh Gao dà míng
　　　　shì Gāo

Come and let me introduce you to a few students.
This is Wang Me-hua. This is Li You- nian.
That is Gau Da-ming.

三人：很高興認識你。
　　　hěn gao sìng rèn shìh nǐ
　　　　　gāo xìng　　shì
Very pleased to meet you.

乙：認識你們我真高興。
　　rèn shìh nǐ měn wǒ jhen gao sìng
　　　　shì　　men　　zhēn gāo xìng
I am very happy to meet you.

第十課　學了多久？
Lesson 10　How Long Have You Studied?

一　課文　TEXT

甲：你學中文多久了？
nǐ syué jhong wún duo jiǒu le
　　xué zhōng wén duō jiǔ le
How long have you studied Chinese?

乙：我才學了兩個月。你學了多久了？
wǒ cái syué le liǎng gè yuè　　nǐ syué le duo jiǒu le
　　　　xué le　　ge　　　　　xué le duō jiǔ le
Only for two months.
How long have you been studying?

甲：我已經學了三年了。
wǒ yǐ jing syué le san nián le
　　　 jīng xué le sān　　le
I have studied it for three years.

丙：我還沒學呢！
wǒ hái méi syué ne
　　　　　xué ne
I haven't begun yet.

甲：沒關係，你可以到這裡來學。
méi guan sì　　nǐ kě yǐ dào jhè lǐ lái syué
　　guān xì　　　　　　　　zhè　　　　xué
That's no problem. You may come to our school and learn it.

二 字ㄗˋ與ㄩˇ詞ㄘ˙ WORDS AND PHRASES

了（‧ㄌㄜ；lě/le）sentence final particle, often expressing the perfective aspect

了：一了

你ㄋㄧˇ學ㄒㄩㄝˊ中ㄓㄨㄥ文ㄨㄣˊ了ㄌㄜ嗎ㄇㄚ？
nǐ syué jhong wún lě mǎ
xué zhōng wén le ma

Have you learned Chinese?

我ㄨㄛˇ學ㄒㄩㄝˊ了ㄌㄜ。
wǒ syué lě
xué le

I have.

這ㄓㄜˋ個ㄍㄜˋ字ㄗˋ你ㄋㄧˇ會ㄏㄨㄟˋ寫ㄒㄧㄝˇ了ㄌㄜ嗎ㄇㄚ？
jhè gě zìh nǐ huèi siě lě mǎ
zhè ge zì hùi xiě le ma

Are you able to write this character?

我ㄨㄛˇ會ㄏㄨㄟˋ寫ㄒㄧㄝˇ了ㄌㄜ。
wǒ huèi siě lě
hùi xiě le

I am.

久（ㄐㄧㄡˇ；jiǒu/jiǔ）long

久：ノク久

你ㄋㄧˇ學ㄒㄩㄝˊ中ㄓㄨㄥ文ㄨㄣˊ多ㄉㄨㄛ久ㄐㄧㄡˇ了ㄌㄜ？
nǐ syué jhong wún duo jiǒu lě
xué zhōng wén duō jiǔ le

How long have you studied Chinese?

他ㄊㄚ到ㄉㄠˋ學ㄒㄩㄝˊ校ㄒㄧㄠˋ多ㄉㄨㄛ久ㄐㄧㄡˇ了ㄌㄜ？
ta dào syué siào duo jiǒu lě
tā xué xiào duō jiǔ le

How long has he been at school?

你ㄋㄧˇ們ㄇㄣ˙認ㄖㄣˋ識ㄕˊ多ㄉㄨㄛ久ㄐㄧㄡˇ了ㄌㄜ？
nǐ měn rèn shìh duo jiǒu lě
men shì duō jiǔ le

How long have you known each other?

才（ㄘㄞˊ；cái）only, just

才：一十才

我ㄨㄛˇ才ㄘㄞˊ學ㄒㄩㄝˊ了ㄌㄜ兩ㄌㄧㄤˇ個ㄍㄜˋ月ㄩㄝˋ。
wǒ cái syué lě liǎng gě yuè
xué le ge

I have just studied for two months.

他ㄊㄚ們ㄇㄣ˙才ㄘㄞˊ教ㄐㄧㄠ了ㄌㄜ三ㄙㄢ課ㄎㄜˋ。
ta měn cái jiao lě san kè
tā men jiāo le sān

They have just taught three lessons.

他ㄊㄚ們ㄇㄣ才ㄘㄞˊ認ㄖㄣˋ識ㄕˋ五ㄨˇ個ㄍㄜˋ月ㄩㄝˋ。

ta men cái rèn shìh wǔ gè yuè
tā men　　　shì　 ge

They have just known each other for five months.

已經（ㄧˇ ㄐㄧㄥ；yǐ jing/jīng）

already (an adverb used to express perfectiveaspect, often omitted)

已：ㄱㄱ已

經：ㄥㄥㄥㄥㄥ糸糸糸經經經經經

我ㄨㄛˇ已ㄧˇ經ㄐㄧㄥ學ㄒㄩㄝˊ了ㄌㄜ一ㄧ年ㄋㄧㄢˊ了ㄌㄜ。

wǒ yǐ jing syué lě yì nián lě
　　　jīng xué le　　　 le

I have already studied for a year.

他ㄊㄚ已ㄧˇ經ㄐㄧㄥ來ㄌㄞˊ了ㄌㄜ五ㄨˇ個ㄍㄜˋ月ㄩㄝˋ了ㄌㄜ。

ta yǐ jing lái lě wǔ gè yuè lě
tā　　 jīng　　 le　　 ge　　　 le

He has already been here for five months.

我ㄨㄛˇ們ㄇㄣ已ㄧˇ經ㄐㄧㄥ認ㄖㄣˋ識ㄕˋ了ㄌㄜ。

wǒ měn yǐ jing rèn shìh lě
　 men　　 jīng　　 shì le

We have already met each other.

他ㄊㄚ已ㄧˇ經ㄐㄧㄥ上ㄕㄤˋ大ㄉㄚˋ學ㄒㄩㄝˊ了ㄌㄜ。

ta yǐ jing shàng dà syué lě
tā　　 jīng　　　　 xué le

He has already gone to a university.

還沒…呢（ㄏㄞˊㄇㄟˊ…ㄋㄜ；hái méi…ne/ne）

not yet (ne is a sentence final particle used as a response to some expectation)

還：ㄧㄇㄇㄇㄇㄇㄇ晋晋罖晋景景景環環還

沒：ㄟㄟㄟㄟ氵汈汐沒

呢：ㄧㄧㄧ口口呾呾呢呢

我ㄨㄛˇ還ㄏㄞˊ沒ㄇㄟˊ寫ㄒㄧㄝˇ呢ㄋㄜ。

wǒ hái méi siě ně
　　　　　 xiě ne

I have not written it yet.

李ㄌㄧˇ先ㄒㄧㄢ生ㄕㄥ還ㄏㄞˊ沒ㄇㄟˊ來ㄌㄞˊ呢ㄋㄜ。

Lǐ sian sheng hái méi lái ně
　 xiān shēng　　　　　　 ne

Mr. Li has not arrived yet.

這ㄓㄜˋ一ㄧ課ㄎㄜˋ還ㄏㄞˊ沒ㄇㄟˊ教ㄐㄧㄠ呢ㄋㄜ。

jhè yí kè hái méi jiao ně
zhè　　　　　　 jiāo ne

This lesson has not been taught yet.

關係（ㄍㄨㄢ ㄒㄧˋ；guan sì/guān xì）relationship, related, does (not) matter

關：丨 冂 冂 冃 冃 冃' 門 門 門 門 門 門 閂 閏 閞 關 關 關 關 關 關

係：丿 亻 亻 亻 伫 伫 係 係 係

我們的關係很好。
wǒ mén dè guan sì hěn hǎo
　　men de guān xì
Our relationship is very good.

這件事跟他沒關係。
jhè jiàn shìh gen ta méi guan sì
zhè　　 shìh gēn tā　　 guān xì
This matter is not related to him.

我不去有沒有關係？
wǒ bú cyù yǒu méi yǒu guan sì
　　　 qù　　　　　　 guān xì
I won't go. Will it matter?

沒關係。
méi guan sì
　　 guān xì
It won't matter.

上（ㄕㄤˋ；shàng）a bound morpheme often meaning on, go on, up, to

上：丨 卜 上

上課
shàng kè
to attend classes

上學
shàng syué
　　 xué
to go to school

上班
shàng ban
　　 bān
to go to work

上樓
shàng lóu
to go upstairs

我們上了幾課了？
wǒ mén shàng lè jǐ kè lè
　　men　　 le　　 le
How many lessons have we learned?

我們上了九課了。
wǒ mén shàng lè jiǒu kè lè
　　men　　 le jiǔ　　 le
We have learned nine lessons.

年（ㄋㄧㄢˊ；nián）year

年：ノ ㅑ 乍 乍 丘 年

一ˊ年ㄋㄢˊ
yì nián
one year

兩ㄌㅊˇ年ㄋㄢˊ
liǎng nián
two years

年ㄋㄢˊ年ㄋㄢˊ
nián nián
every year

月（ㄩㄝˋ；yuè）Month

月：丿 刀 月 月

一ˊ月ㄩㄝ
yi yuè
January

二ㄦˋ月ㄩㄝ
èr yuè
February

一ˊ個ㄍㄜˋ月ㄩㄝ
yí gè yuè
   ge
one month

兩ㄌㅊˇ個ㄍㄜˋ月ㄩㄝ
liǎng gè yuè
   ge
two months

一ˊ年ㄋㄢˊ有ㄧㄡˇ十ㄕˊ二ㄦˋ個ㄍㄜˋ月ㄩㄝ。
yì nián yǒu shíh èr gè yuè
         shí   ge
There are twelve months in a year.

 三　溫ㄨㄣ習ㄒㄧˊ REVIEW

 甲：你學中文多久了？

 乙：我才學了兩個月。你學了多久了？

甲：我已經學了三年了。

丙：我還沒學呢！

甲：沒關係，你可以到我們學校來學。

四　應用 EXTENDED PRACTICE

甲：你學中文多久了？
nǐ syué jhong wún duo jiǒu lě
　　xué zhōng wén duō jiǔ le
How long have you studied Chinese?

乙：我才上了兩個月的課。
wǒ cái shàng lě liǎng gě yuè dě kè
　　　　　　le　　ge　　de
Only two months.

甲：你已經學了很久，認識很多字吧。
nǐ yǐ jing syué lě hěn jiǒu rèn shìh hěn duo zìh bǎ
　　jīng xué le　jiǔ　　shìh　duō zì ba
You have studied it for a long time. You know many words, right?

乙：我認識的字不多。
wǒ rèn shìh dě zìh bù duo
　　shìh de zì　　duō
I only know a few words.

甲：我還沒學寫字呢。
wǒ hái méi syué siě zìh ně
　　　　　xué xiě zì ne
I haven't learned to write yet.

乙：我也還沒學。
wǒ yě hái méi syué
　　　　　　xué
Neither have I!

甲：沒關係。李先生可以教我們。
méi guan sì Lǐ sian sheng kě yǐ jiao wǒ měn
　　guān xì　xiān shēng　　jiāo　men
That's OK. Mr. Li can teach us.

第ㄉㄧˋ十ㄕˊ一ㄧ課ㄎㄜˋ　　一ㄧ星ㄒㄧㄥ期ㄑㄧˊ幾ㄐㄧˇ次ㄘˋ？

Lesson 11　　　　　**How Many Times A Week?**

 一　課ㄎㄜˋ文ㄨㄣˊ TEXT

 甲ㄐㄧㄚˇ：你ㄋㄧˇ一ㄧ星ㄒㄧㄥ期ㄑㄧ上ㄕㄤˋ幾ㄐㄧˇ次ㄘˋ課ㄎㄜˋ？
　　　　nǐ　yì sing cí shàng jǐ cìh kè
　　　　　　xīng qí shàng　　cì
　　　　How many times do you have classes a week?

 乙ㄧˇ：一ㄧ星ㄒㄧㄥ期ㄑㄧ兩ㄌㄧㄤˇ次ㄘˋ。
　　　　yì sing cí liǎng cìh
　　　　　xīng qí　　cì
　　　　Twice a week.

 甲ㄐㄧㄚˇ：每ㄇㄟˇ次ㄘˋ多ㄉㄨㄛ久ㄐㄧㄡˇ？
　　　　měi cìh duo jiǒu
　　　　　　cì　duō jiǔ
　　　　How long is each class?

 乙ㄧˇ：每ㄇㄟˇ次ㄘˋ兩ㄌㄧㄤˇ個ㄍㄜ鐘ㄓㄨㄥ頭ㄊㄡˊ。
　　　　měi cìh liǎng gě jhong tóu
　　　　　　cì　　　ge zhōng
　　　　Two hours each time.

 甲ㄐㄧㄚˇ：什ㄕㄜˊ麼ㄇㄜ時ㄕˊ候ㄏㄡˋ上ㄕㄤˋ課ㄎㄜˋ？
　　　　shé mě shíh hòu shàng kè
　　　　　　me shí
　　　　What time do you have classes?

乙：星期三下午從兩點上到四點，
sing cí san sià wǔ cóng liǎng diǎn shàng dào sìh diǎn
xīng qí sān xià sì

星期六上午八點十分上課，十點十分下課。
sing cí liòu shàng wǔ ba diǎn shíh fen shàng kè shíh diǎn shíh fen sià kè
xīng qí lìu bā shí fēn shí shí fēn xià

From 2:00 to 4:00 on Wednesday afternoons.
From 8:10 to l0:l0 on Saturday mornings.

甲：星期六還上課，累不累？
sing cí liòu hái shàng kè lèi bú lèi
xīng qí lìu

Is it tiring to have classes on Saturday?

乙：一點都不累。學中文很有意思。
yì diǎn dou bú lèi syué jhong wún hěn yǒu yì sih
dōu xué zhōng wén si

Not at all. Studying Chinese is very interesting.

二　字與詞　WORDS AND PHRASES

星期（ㄒㄧㄥ ㄑㄧˊ；sing cí/xīng qí）Week

星：ㄧ ㄇ ㄇ 日 戶 巨 戸 星 星

期：一 十 廿 艹 甘 甘 其 其 期 期 期 期

星期一（禮拜一）
sing cí yi　　lǐ bài yi
xīng qí yī　　　　　　yī
Monday

星期二（禮拜二）
sing cí èr　　lǐ bài èr
xīng qí
Tuesday

星期三（禮拜三）
sing cí san　　lǐ bài san
xīng qí sān　　　　　sān
Wednesday

星期四（禮拜四）
sing cí sìh　　lǐ bài sìh
xīng qí sì　　　　　　sì
Thursday

星期五（禮拜五）
sing cí wǔ　　lǐ bài wǔ
xīng qí
Friday

星期六（禮拜六）
sing cí liòu　　lǐ bài liòu
xīng qí lìu　　　　　　lìu
Saturday

星期日（禮拜日）
sing cí rìh　　lǐ bài rìh
xīng qí rì　　　　　　rì
Sunday

星期天（禮拜天）
sing cí tian　　lǐ bài tian
xīng qí tiān　　　　　　tiān
Sunday

次（ㄘㄟˋ；cìh/cì）a time
次：丶冫ン次次次

再說一次。
zài shuo yí cìh
　　shuō　　cì
Repeat one more time.

請你再說一次。
cǐng nǐ zài shuo yí cìh
qǐng　　　　shuō　　cì
Please repeat one more time.

多說幾次。
duo shuo jǐ cìh
duō shuō　　cì
Say it a few times.

多寫幾次。
duo siě jǐ cìh
duō xiě　　cì
Write it a few times.

每（ㄇㄟˇ；měi）every; each
每：丿仁仁每每每每

每次多久？
měi cìh duo jiǒu
　　cì duō jiǔ
How long each time?

每個人都很高興。
měi gě rén dou hěn gao sìng
　　ge　　dōu　　gāo xìng
Everyone is very glad.

每個學校都有外國學生。
měi gě syué siào dou yǒu wài guó syué sheng
　　ge xué xiào dōu　　　　　xué shēng
Every school has foreign students.

鐘頭（ㄓㄨㄥ ㄊㄡˊ；jhong/zhōng tóu）hour

鐘：ノ ト ト ヒ 牛 牟 余 金 釒 釕 鈩 鈩 鈩 鈩 鐕 鐕 鐕 鐘 鐘

他每天學三個鐘頭中文。
ta měi tian syué san gě jhong tóu jhong wún
tā　　tian xué sān ge zhōng　　zhōng wén
He learns Chinese for three hours every day.

時候（ㄕˊ ㄏㄡˋ；shíh/shí hòu）time; when

時：丨 冂 日 日 旷 旷 昨 昨 時 時

候：ノ イ 亻 疒 疒 佂 佂 佂 候 候

你是什麼時候來的？
nǐ shìh shé mě shíh hòu lái dě
　　shì　　me shí　　　　de
When did you come here?

你們是什麼時候認識的？
nǐ mèn shìh shé mě shíh hòu rèn shìh dě
　　men shì　　me shí　　　shì de
When did you meet each other?

你什麼時候到英國去？
nǐ shé mě shíh hòu dào ying guó cyù
　　me shí　　　yīng　　qù
When are you going to England?

午（ㄨˇ；wǔ）noon
午：ノ 𠂉 乞 午

上午
shàng wǔ
morning

中午
jhong wǔ
zhōng
noon

下午
sià wǔ
xià
afternoon

點（ㄉㄧㄢˇ；diǎn）point o'clock
點：丨 冂 冂 冃 曱 甲 里 里 里 黑 黑 黑 黑 黑 點 點 點 點

分（ㄈㄣ；fen/fēn）minute
分：ノ 八 分 分

我上午八點到學校。
wǒ shàng wǔ ba diǎn dào syué siào
　　　　　bā　　　　　xué xiào
I arrive at school at eight o'clock in the morning.

八點十分上課。
ba diǎn shíh fen shàng kè
bā　　　shí fēn
The class begins at ten minutes past eight.

九點二十分下課。
jiǒu diǎn èr shíh fen sià kè
jiǔ　　　　shí fēn xià
The class ends at twenty minutes past nine.

每次上課六十分鐘。
měi cih shàng kè liòu shíh fen jhong
　　cì　　　　liù shí fēn zhōng
Each class lasts sixty minutes.

他每分鐘可以寫五十個中文。
ta měi fen jhong kě yǐ siě wǔ shíh gè jhong wún
tā　　fēn zhōng　　　xiě　　shí ge zhōng wén
He can write fifty Chinese characters a minute.

從…到（ㄘㄨㄥˊ…ㄉㄠˋ；cóng … dào）from ... to
從：ノ ㄅ ㄔ ㄔ ㄔ ㄔ 從 從 從 從

從我家到學校不遠。
cóng wǒ jia dào syué siào bù yuǎn
　　　jiā　　　xué xiào
It is not far from my house to school.

我從台灣到這裡來。
wǒ cóng tái wan dào jhè lǐ lái
　　　　 wān 　　 zhè
I came from Taiwan.

他從早到晚都很忙。
ta cóng zǎo dào wǎn dou hěn máng
tā 　　　　　　　 dōu
He is busy from morning till night.

下（ㄒㄧㄚˋ；sià/xià）next

下：一ㄒ下

下頭
sià tǒu
xià tou
below

下課
sià kè
xià
after class

下午
sià wǔ
xià
afternoon

下班
sià ban
xià bān
after work

下車
sià che
xià chē
get off (the bus)

下一次
sià yí cìh
xià 　 cì
next time

下一個
sià yí gě
xià 　 ge
next one

下星期（下禮拜）
sià sing cí 　 sià lǐ bài
xià xīng qí 　 xià
next week

下個月
sià gě yuè
xià ge
next month

累（ㄌㄟˋ；lèi）tired, weary
累：丿 冂 冂 用 田 甲 甲 罗 界 累 累 累

你累不累？
nǐ lèi bú lèi
Are you tired?

一點都不累。
yì diǎn dou bú lèi
　　　 dōu
Not at all.

意思（ㄧˋ ・ㄙ；yì sih/si）mean, meaning, meaningful, interesting
意：丶 亠 立 立 音 音 音 音 音 意 意 意
思：丨 冂 日 田 田 甲 思 思 思

這句話是什麼意思？
jhè jyù huà shìh shé mě yì sih
zhè jù 　 shì 　 me 　 si
What does this sentence mean?

這句話的意思是“你好！”。
jhè jyù huà dě yì sih shìh 　 nǐ hǎo
zhè jù 　 de 　 si shì
This sentence means "Hello!"

教中文很有意思。
jiao jhong wún hěn yǒu yì sih
jiāo zhōng wén 　　　　 si
It is interesting to teach Chinese.

那本書很有意思。
nà běn shu hěn yǒu yì sih
　　 shū 　　　 si
That book is very interesting.

這本書一點意思也沒有。
jhè běn shu yì diǎn yì sih yě méi yǒu
zhè 　 shū 　　 si
This book is not interesting at all.

三　溫習 REVIEW

 甲：你一星期上幾次課？

 乙：一星期兩次。

 甲：每次多久？

 乙：每次兩個鐘頭。

 甲：什麼時候上課？

 乙：星期三下午從兩點上到四點，
　　　星期六上午八點十分上課，十點十分下課。

 甲：星期六還上課，累不累？

 乙：一點都不累。學中文很有意思。

四 應用 EXTENDED PRACTICE

甲：你在學中文嗎？
nǐ zài syué jhong wún mǎ
　　　　 xué zhōng wén ma
Are you studying Chinese?

乙：是的，我在學校學中文。
shìh de　　wǒ zài syué siào syué jhong wún
shì de　　　　　 xué xiào xué zhōng wén
Yes, I'm studying Chinese at school.

甲：一個禮拜上幾次課？
yí gě lǐ bài shàng jǐ cìh kè
　 ge　　　　　　 cì
How many times a week is the class offered?

乙：一個禮拜一次。
yí gě lǐ bài yí cìh
　 ge　　　　 cì
Once a week.

甲：每次幾個鐘頭？
měi cìh jǐ gě jhong tóu
　 cì　　 ge zhōng
How many hours each time?

乙：一次三個鐘頭。
yí cìh san gě jhong tóu
　 cì sān ge zhōng
Three hours each time.

甲：三個鐘頭？累不累？
san gě jhong tóu　lèi bú lèi
sān ge zhōng
Three hours? Is it tiring?

乙：不累，不累。一會兒學說話，一會兒
bú lèi　　bú lèi　　yì huěi er syué shuo huà　　yì huěi er
　　　　　　　　　　 hǔi　　xué shuō　　　　　　 hǔi

學寫字，很有意思，一點都不累。
syué siě zìh　　hěn yǒu yì sih　　yì diǎn dou bú lèi
xué xiě zì　　　　　　 si　　　　　　 dōu
Not at all. We practice speaking for a while, and then we practice writing. It's very interesting. It's not tiring at all.

第ㄉㄧˋ十ㄕˊ二ㄦˋ課ㄎㄜˋ　唱ㄔㄤˋ華ㄏㄨㄚˊ語ㄩˇ歌ㄍㄜ

Lesson 12　　　Sing Chinese Songs

 一　課ㄎㄜˋ文ㄨㄣˊ　TEXT

 甲ㄐㄧㄚˇ：我ㄨㄛˇ想ㄒㄧㄤˇ學ㄒㄩㄝˊ畫ㄏㄨㄚˋ國ㄍㄨㄛˊ畫ㄏㄨㄚˋ。你ㄋㄧˇ可ㄎㄜˇ以ㄧˇ教ㄐㄧㄠ我ㄨㄛˇ嗎ㄇㄚ？
　　　　wǒ siǎng syué huà guó huà　　nǐ kě yǐ jiao wǒ mǎ
　　　　　　xiǎng xué　　　　　　　　　　　jiāo　　ma
　　　　I want to learn Chinese painting. Can you teach me ?

 乙ㄧˇ：我ㄨㄛˇ畫ㄏㄨㄚˋ得ㄉㄜˊ不ㄅㄨˋ好ㄏㄠˇ，只ㄓˇ能ㄋㄥˊ教ㄐㄧㄠ你ㄋㄧˇ一ㄧˋ點ㄉㄧㄢˇ簡ㄐㄧㄢˇ單ㄉㄢ的ㄉㄜˊ。
　　　　wǒ huà dě bù hǎo　　jhǐh néng jiao nǐ yì diǎn jiǎn dan dě
　　　　　　　　de　　　　　　zhǐ　　jiāo　　　　　　　　dān de
　　　　I can't paint very well. I can only teach you a little.

 甲ㄐㄧㄚˇ：你ㄋㄧˇ也ㄧㄝˇ會ㄏㄨㄟˋ唱ㄔㄤˋ華ㄏㄨㄚˊ語ㄩˇ歌ㄍㄜ嗎ㄇㄚ？
　　　　nǐ yě huèi chàng huá yǔ ge mǎ
　　　　　　　　hùi　　　　　　　gē ma
　　　　Can you also sing Chinese songs?

 乙ㄧˇ：會ㄏㄨㄟˋ唱ㄔㄤˋ幾ㄐㄧˇ首ㄕㄡˇ。
　　　　huèi chàng jǐ shǒu
　　　　hùi
　　　　A few.

 甲ㄐㄧㄚˇ：那ㄋㄚˋ麼ㄇㄜ，你ㄋㄧˇ也ㄧㄝˇ教ㄐㄧㄠ我ㄨㄛˇ唱ㄔㄤˋ華ㄏㄨㄚˊ語ㄩˇ歌ㄍㄜ吧ㄅㄚ。
　　　　nà mě　nǐ yě jiao wǒ chàng huá yǔ ge bǎ
　　　　　　me　　　　jiāo　　　　　　　gē ba
　　　　Then, can you also teach me to sing Chinese songs?

 乙ㄧˇ：好ㄏㄠˇ啊ㄚ，我ㄨㄛˇ教ㄐㄧㄠ你ㄋㄧˇ唱ㄔㄤˋ一ㄧˋ首ㄕㄡˇ「梅ㄇㄟˊ花ㄏㄨㄚ」。
　　　　hǎo ǎ　　wǒ jiao nǐ chàng yì shǒu　méi hua huā
　　　　　　a　　　jiāo　　　　　　　　　　　　huā
　　　　All right. I will teach you "Plum Blossoms".

二 字與詞 WORDS AND PHRASES

想（ㄒㄧㄤˇ；siǎng/xiǎng）think, miss, want

想：一 十 才 木 机 和 相 相 相 相 想 想 想

我想你說得很對。
wǒ siǎng nǐ shuo dě hěn duèi
　　xiǎng　　shuō de　　　dùi
I think what you said is right.

畫（ㄏㄨㄚˋ；huà）paint, draw, painting

畫：フ フ ヨ 書 書 書 書 畫 畫 畫 畫

你會畫畫嗎？
nǐ huèi huà huà mǎ
　 hùi　　　　　ma
Can you paint?

我會畫。
wǒ huèi huà
　 hùi
Yes, I can.

你會畫什麼畫？
nǐ huèi huà shé mě huà
　 hùi　　　　me
What kind of painting can you do?

我會畫國畫。
wǒ huèi huà guó huà
　 hùi
Chinese painting.

得（·ㄉㄜ；dě/de）（ㄉㄜˊ；dé）（ㄉㄟˇ；děi）
a suffix attached to verbs/get, win/must, have to

得：ˊ ㄔ ㄔ ㄔ 彳 忇 徂 得 得

他的中文說得很好。
ta dě jhong wún shuo dě hěn hǎo
tā de zhōng wén shuō de
He speaks Chinese very well.

他得到第一名。
ta dé dào dì yi míng
tā dé　　　　yī
He got the first.

他得到一本書。
ta dé dào yì běn shu
tā　　　　　　shū
He got a book.

學說話，得多說。
syué shuo huà　děi duo shuo
xué shuō　　　 duō shuō
While learning to speak, you should speak a lot.

時候不早了，我得上學去了。
shíh hòu bù zǎo lě　wǒ děi shàng syué cyù lě
shí　　　　　le　　　　　　　xué qù le
It's late. I must go to school.

只（ㄓˇ；jhǐh/zhǐ）only

只：ㄧ ㄇ ㄇ ㄇ 只

我只有一本書。
wǒ jhǐh yǒu yì běn shu
　　zhǐ　　　　　shū
I only have one book.

我只學了五個月。
wǒ jhǐh syué lě wǔ gě yuè
　　zhǐ xué le　　ge
I have only studied for five months.

他只教寫字。
ta jhǐh jiao siě zìh
tā zhǐ jiāo xiě zì
He only teaches writing.

能（ㄋㄥˊ；néng）can
能：ㄥ ㄥ ㄕ ㄢ ㄢ ㄢ ㄢˊ 能 能

語（ㄩˇ；yǔ）language
語：ˋ ㄧ ㄜ ㄜ ㄜ 言 言 訓 訓 訝 語 語 語 語

你能不能教中文？
nǐ néng bù néng jiao jhong wún
　　　　　　　　jiāo zhōng wén
Can you teach Chinese?

我說得不好，只能教幾句簡單的。
wǒ shuo dě　bù hǎo　jhǐh néng jiao jǐ jyù jiǎn dan dě
　　shuō de　　　　　zhǐ　　jiāo　jù　dān de
I don't speak it very well. I can only teach a few simple sentences.

你能不能教華語歌？
nǐ néng bù néng jiao huá yǔ ge
　　　　　　　　jiāo　　　gē
Can you teach Chinese songs?

我不會唱歌，我不能教。
wǒ bú huèi chàng ge　wǒ bù néng jiao
　　　 hùi　　　 gē　　　　　　　jiāo
I can't sing, so I can't teach.

簡單（ㄐㄧㄢˇ ㄉㄢ；jiǎn dan/dān）simple; easy

簡：ˊ ˋ ˋ ˋ 竹 竹 竹 節 節 節 節 節 簡 簡 簡 簡 簡 簡 簡

我只會說幾句簡單的中文。
wǒ jhǐh huèi shuo jǐ jyù jiǎn dan dě jhong wún
   zhǐ hùi shuō jù   dān de zhōng wén
I can say a few simple Chinese sentences.

學中文很簡單。
syué jhong wún hěn jiǎn dan
xué zhōng wén   dān
Chinese is easy to learn.

學好中文不簡單。
syué hǎo jhong wún bù jiǎn dan
xué   zhōng wén   dān
It is not easy to learn Chinese well.

唱（ㄔㄤˋ；chàng）sing

唱：丨 ㄕ 丨 ㄗ ㄗ ㄗ ㄗ ㄗ 唱 唱 唱

歌（ㄍㄜ；ge/gē）song

歌：一 ㄒ ㄋ ㄋ ㄋ ㄋ ㄋ ㄋ ㄋ ㄋ 哥 哥 歌 歌 歌

我想學唱歌。
wǒ siǎng syué chàng ge
  xiǎng xué   gē
I want to learn to sing songs.

你想學什麼歌？
nǐ siǎng syué shé mě ge
  xiǎng xué   me gē
What songs do you want to learn?

我想學華語歌。
wǒ siǎng syué huá yǔ ge
  xiǎng xué   gē
I want to learn Chinese songs.

華語歌怎麼唱？
huá yǔ ge zěn mě chàng
    gē   me
How do you sing Chinese songs?

李先生唱得很好。
Lǐ sian sheng chàng dě hěn hǎo
  xiān shēng   de
Mr. Li sings very well.

請他教我們唱。
cǐng ta jiao wǒ měn chàng
qǐng tā jiāo   men
Let's ask him to teach us.

首（ㄕㄡˇ；shǒu） a numerary particle for a poem, songs, etc.

首：丶丷丷兯兯肖肖首首

這首歌很好聽。
jhè shǒu ge hěn hǎo ting
zhè   gē   tīng
This song is beautiful.

那首詩很有名。
nà shǒu shih hěn yǒu míng
          shī
That poem is very popular.

梅花（ㄇㄟˊ ㄏㄨㄚ；méi hua/huā） plum blossoms

梅：一十才才才杧杧梅梅梅

花：丶艹艹花花花花花

梅花很好看。
méi hua hěn hǎo kàn
      huā
Plum blossoms are beautiful.

梅花是中華民國的國花。
méi hua shìh jhong huá mín guó dě guó hua
      huā shì zhōng   de   huā
The plum blossom is the national flower of Republic of China.

「梅花」是一首很有名的歌。
méi hua   shìh yì shǒu hěn yǒu míng dě ge
      huā   shì   de gē
"Plum Blossoms" is a very popular song.

三 溫習 REVIEW

甲：我想學畫國畫。你可以教我嗎？

乙：我畫得不好，只能教你一點簡單的。

甲：你也會唱華語歌嗎？

乙：會唱幾首。

甲：那麼也教我唱華語歌吧。

乙：好啊，我教你唱一首「梅花」。

四　應ㄧㄥ用ㄩㄥˋ　EXTENDED PRACTICE

甲ㄐㄧㄚˇ：「梅ㄇㄟˊ花ㄏㄨㄚ」是ㄕˋ一ㄧ首ㄕㄡˇ很ㄏㄣˇ有ㄧㄡˇ名ㄇㄧㄥˊ的ㄉㄜ歌ㄍㄜ，是ㄕˋ嗎ㄇㄚˊ？
　　　méi hua　shìh　yì shǒu hěn yǒu míng dě ge　shìh mǎ
　　　　huā　 shì　　　　　　　　　　de gē　shì ma
"Plum Blossoms" is a popular song, isn't it?

乙ㄧˇ：是ㄕˋ啊ㄚˊ。
　　　shìh å
　　　shì a
Yes.

甲ㄐㄧㄚˇ：你ㄋㄧˇ會ㄏㄨㄟˋ唱ㄔㄤˋ嗎ㄇㄚˊ？
　　　nǐ　huèi chàng mǎ
　　　　 hùi　　　ma
Can you sing it?

乙ㄧˇ：會ㄏㄨㄟˋ。
　　　huèi
　　　hùi
Yes, I can.

甲ㄐㄧㄚˇ：你ㄋㄧˇ可ㄎㄜˇ以ㄧˇ教ㄐㄧㄠ我ㄨㄛˇ唱ㄔㄤˋ嗎ㄇㄚˊ？
　　　nǐ　kě yǐ jiao wǒ chàng mǎ
　　　　　　jiāo　　　　　ma
Can you teach me to sing it?

乙ㄧˇ：可ㄎㄜˇ以ㄧˇ是ㄕˋ可ㄎㄜˇ以ㄧˇ，可ㄎㄜˇ是ㄕˋ你ㄋㄧˇ得ㄉㄟˇ先ㄒㄧㄢ會ㄏㄨㄟˋ寫ㄒㄧㄝˇ這ㄓㄜˋ兩ㄌㄧㄤˇ個ㄍㄜˋ字ㄗˋ。
　　　kě yǐ shìh kě yǐ　kě shìh nǐ děi sian huèi siě jhè liǎng gě zìh
　　　　　 shì　　　　　 shì　　　　 xiān hùi xiě zhè　　　 ge zì
Yes, I can, but you have to learn to write these two words first.

甲ㄐㄧㄚˇ：我ㄨㄛˇ已ㄧˇ經ㄐㄧㄥ會ㄏㄨㄟˋ寫ㄒㄧㄝˇ這ㄓㄜˋ兩ㄌㄧㄤˇ個ㄍㄜˋ字ㄗˋ了ㄌㄜˊ。
　　　wǒ yǐ jing huèi siě jhè liǎng gě zìh lě
　　　　　 jīng hùi xiě zhè　　　 ge zì le
I've already learned them.

乙ㄧˇ：這ㄓㄜˋ真ㄓㄣ沒ㄇㄟˊ想ㄒㄧㄤˇ到ㄉㄠˋ。
　　　jhè jhen méi siǎng dào
　　　zhè zhēn　 xiǎng
What a surprise.

甲ㄐㄧㄚˇ：是ㄕˋ啊ㄚˊ，我ㄨㄛˇ會ㄏㄨㄟˋ很ㄏㄣˇ用ㄩㄥˋ功ㄍㄨㄥ的ㄉㄜ，下ㄒㄧㄚˋ一ㄧ次ㄘˋ來ㄌㄞˊ我ㄨㄛˇ
　　　shìh å　　wǒ huèi hěn yòng gong dě　 sià yí cìh lái wǒ
　　　shì a　　　　hùi　　　　gōng de　　xià　 cì
會ㄏㄨㄟˋ唱ㄔㄤˋ得ㄉㄜˊ比ㄅㄧˇ你ㄋㄧˇ更ㄍㄥˋ好ㄏㄠˇ。
huèi chàng dě　bǐ　nǐ　gèng hǎo
hùi　　　 de
Yes, I'll try my best. Maybe next time I will sing better than you.

乙ㄧˇ：沒ㄇㄟˊ關ㄍㄨㄢ係ㄒㄧˋ。好ㄏㄠˇ老ㄌㄠˇ師ㄕ才ㄘㄞˊ有ㄧㄡˇ好ㄏㄠˇ學ㄒㄩㄝˊ生ㄕㄥ。
　　　méi guan sì　　hǎo lǎo shih cái yǒu hǎo syué sheng
　　　　guān xì　　　　　　 shī　　　　　　 xué shēng
That's OK. Pupils often prove to be better than their teachers.

第十三課　後天幾號？

Lesson 13　What Date Is the Day After Tomorrow

 一　課文　TEXT

甲：前天教你的歌你會了嗎？
cián tian jiao nǐ dě ge nǐ huèi lě mǎ
qián tiān jiāo　　de gē　　hùi le ma
Can you sing the song I taught you the day before yesterday?

乙：昨天唱了一天，已經會了。
zuó tian chàng lě yì tian　yǐ jing huèi lě
　　tiān　　le tiān　　jīng hùi le
I practiced it all day yesterday. I can sing it very well.

甲：真是好學生。
jhen shìh hǎo syué sheng
zhēn shì　xué shēng
You are a diligent student.

乙：什麼時候教我畫國畫？
shé mě shíh hòu jiao wǒ huà guó huà
　me shí　jiāo
When will you teach me Chinese painting?

甲：我白天很忙，晚上才有時間。
wǒ bái tian hěn máng　wǎn shàng cái yǒu shíh jian
　　tiān　　　　　　shí jiān
I am busy during the day. I can teach you in the evening.

乙：今天晚上可以嗎？
jin tian wǎn shàng kě yǐ mǎ
jīn tiān　　　　　ma
How about tonight?

甲：今天、明天晚上我都有事，後天我有空。
jin tian míng tian wǎn shàng wǒ dou yǒu shìh hòu tian wǒ yǒu kòng
jīn tiān   tiān   dōu   shì   tiān

I am not available tonight or tomorrow night, but I am free the day after tomorrow.

乙：後天是五月十號星期四，我也有空。
hòu tian shìh wǔ yuè shíh hào sing cí sìh   wǒ yě yǒu kòng
tiān shì   shí   xīng qí sì

The day after tomorrow is Thursday, May l0. I am free, too.

 字與詞　WORDS AND PHRASES

前（ㄑㄧㄢˊ；cián/qián）before; front
前：丶丷ㅛ广前前前前前前

以前
yǐ cián
qián
before

從前
cóng cián
qián
before

前頭
cián tǒu
qián tou
front

前面
cián miàn
qián
front

前邊
cián bian
qián biān
front

以前我不認識他。
yǐ cián wǒ bú rèn shìh ta
qián   shì tā

I didn't know him before.

從前我不會說中文。
cóng cián wǒ bú huèi shuo jhong wún
qián   hùi shuō zhōng wén

I couldn't speak Chinese before.

天（ㄊㄧㄢ；tian/tiān）day
天：一二天天

82

前天
cián tian
qián tiān
the day before yesterday

星期天
sing cí tian
xīng qí tiān
Sunday

每天
měi tian
tiān
everyday

我每天寫字。
wǒ měi tian siě zìh
tiān xiě zì
I write everyday.

天天
tian tian
tiān tiān
every day, day after day

她天天畫畫。
ta tian tian huà huà
tā tiān tiān
She paints everyday.

昔（ㄗㄨㄛˊ；zuó）yesterday, past
昔：｜ ㄇ ㄤ ㄖ ㄖˊ ㄖㄦ 昔 昔 昔

昔天
zuó tian
tiān
yesterday

昔日
zuó rìh
rì
yesterday

今（ㄐㄧㄣ；jin/jīn）present, now
今：ノ 人 ㆁ 今

今天
jin tian
jīn tiān
today

今日
jin rìh
jīn rì
today

明（ㄇㄧㄥˊ；míng）next, light, clear

明：丨 冂 月 日 日 日 明 明 明

明天
míng tian
　　 tiān
tomorrow

明白
míng bái
clear, understand

我不明白他的意思。
wǒ bù míng bái ta dě yì sih
　　　　　　　 tā de　　 si
I don't understand what he means.

這句話的意思，你明白了嗎？
jhè jyù huà dě yì sih　 nǐ míng bái lě mǎ
zhè jù　　 de　 si　　　　　　 le ma
Do you understand the meaning of this sentence?

白（ㄅㄞˊ；bái）white, clear, understand

白：ˊ ˊ 白 白 白

這枝筆是白的。
jhè jhih bǐ shìh bái dě
zhè zhī　 shì　　 de
This pen is white.

白天
bái tian
　　 tiān
day

我白天很忙。
wǒ bái tian hěn máng
　　　 tiān
I am busy during the day.

他的意思我明白了。
ta dě yì sih wǒ míng bái lě
tā de　 si　　　　　　 le
I understand what he means.

後（ㄏㄡˋ；hòu）behind, after, later, back

後：ˊ ㄅ 彳 彳 彳 彳 後 後 後

後天
hòu tian
　　 tiān
the day after tomorrow

後頭
hòu tǒu
　　 tou
behind

後面
hòu miàn
behind

後邊
hòu bian
　　 biān
behind

以後
yǐ hòu
later

後來
hòu lái
later

他從前天天畫畫，後來不畫了。
ta cóng cián tian tian huà huà　　hòu lái bú huà lê
tā　　 qián tiān tiān　　　　　　　　　　　　　　 le
He used to paint everyday, but he doesn't paint anymore.

晚（ㄨㄢ∨；wǎn）night, late

晚：丨 冂 日 日 日' 旷 旷 睁 晚 晚 晚

時候很晚了，我們回家吧！
shíh hòu hěn wǎn lê　　wǒ men huéi jia bå
shí　　　　　　　 le　　　　 men húi jiā ba
It's late. Let's go home.

你晚上有空嗎？
nǐ wǎn shàng yǒu kòng mǎ
　　　　　　　　　　　　 ma
Do you have time in the evening?

間（ㄐㄧㄢ；jian/jiān）separate

間：丨 冂 冂 冂 冂 冂' 門 門 門 問 間 間

時間
shíh jian
shí jiān
time

中間
jhong jian
zhōng jiān
middle, center

你下午有時間嗎？
nǐ sià wǔ yǒu shíh jian mǎ
　　xià　　　shí jiān ma
Do you have time in the afternoon?

你有時間學中文嗎？
nǐ yǒu shíh jian syué jhong wún mǎ
　　　shí jiān xué zhōng wén ma
Do you have time to learn Chinese?

我在他們兩個人中間。
wǒ zài ta měn liǎng gě rén jhong jian
　　　tā men　　ge　　zhōng jiān
I am in between those two people.

空（ㄎㄨㄥˋ；kòng）free, space

空：丶ㄟ宀宀空空空空

明天我沒有空。
míng tian wǒ méi yǒu kòng
　　tiān
I have no free time tomorrow.

後天我有空。
hòu tian wǒ yǒu kòng
　　tiān
I am free the day after tomorrow.

事（ㄕˋ；shìh/shì）matter, business, job

事：一丅丆百百写写事

明天你有事嗎？
míng tian nǐ yǒu shìh mǎ
　　tiān　　　shì ma
Are you busy tomorrow?

明天我沒事。
míng tian wǒ méi shìh
　　tiān　　shì
I am not busy tomorrow.

後天你有什麼事？
hòu tian nǐ yǒu shé mě shìh
　　tiān　　　me shì
What will you do the day after tomorrow?

後天我要上課。
hòu tian wǒ yào shàng kè
　　tiān
I have to attend classes.

你做事了嗎？
nǐ zuò shìh lě mǎ
　　　shì le ma
Do you have a job?

號（ㄏㄠˋ；hào）number

號：ˋ ㄇ ㄇ ㄇ 号 号 号 号 号 號 號 號 號

今天是幾月幾號？
jin tian shìh jǐ yuè jǐ hào
jīn tiān shì

What is the date today?

今天是四月十六號。
jin tian shìh sìh yuè shíh liòu hào
jīn tiān shì sì shí liù

Today is April 16.

我們學校在中山路五十六號。
wǒ měn syué siào zài jhong shan lù wǔ shíh liòu hào
men xué xiào zài zhōng shān shí liù

Our school is at No. 56, Jhong-shan Road.

三 溫習 REVIEW

 甲：前天教你的歌，你會了嗎？

 乙：昨天唱了一天，已經會了。

 甲：真是好學生。

 乙：什麼時候教我畫國畫？

 甲：我白天很忙，晚上才有時間。

 乙：今天晚上可以嗎？

 甲：今天、明天晚上我都有事，後天我有空。

 乙：後天是五月十號，星期四，我也有空。

中英文版

四 應用 EXTENDED PRACTICE

年
nián
Year

前年是二〇〇二年。
cián nián shìh èr líng líng èr nián
qián   shì

The year before last was 2002.

去年是二〇〇三年。
cyù nián shìh èr líng líng san nián
qù   shì   sān

Last year was 2003.

今年是二〇〇四年。
jin nián shìh èr líng líng sìh nián
jīn   shì   sì

This year is 2004.

明年是二〇〇五年。
míng nián shìh èr líng líng wǔ nián
          shì

Next year will be 2005.

後年是二〇〇六年。
hòu nián shìh èr líng líng liòu nián
         shì   liù

The year after next will be 2006.

月
yuè
Month

上個月是四月。
shàng gě yuè shìh sìh yuè
      ge   shì sì

Last month was April.

這個月是五月。
jhè gě yuè shìh wǔ yuè
zhè ge   shì

This month is May.

下個月是六月。
sià gě yuè shìh liòu yuè
xià ge   shì liù

Next month will be June.

星期	上星期	上禮拜	last week
sing cí xīng qí	shàng sing cí xīng qí	shàng lǐ bài	

禮拜	這星期	這禮拜	this week
lǐ bài	jhè sing cí zhè xīng qí	jhè lǐ bài zhè	

Week

	下星期	下禮拜	next week
	sià sing cí xià xīng qí	sià lǐ bài xià	

前天是五月十九號。
cián tian shìh wǔ yuè shíh jiǒu hào
qián tiān shì shí jiǔ
The day before yesterday was May 19.

昨天是五月二十號。
zuó tian shìh wǔ yuè èr shíh hào
zuó tiān shì shí
Yesterday was May 20.

今天是五月二十一號。
jin tian shìh wǔ yuè èr shíh yi hào
jīn tiān shì shí yī
Today is May 21.

明天是五月二十二號。
míng tian shìh wǔ yuè èr shíh èr hào
tiān shì shí
Tomorrow will be May 22.

後天是五月二十三號。
hòu tian shìh wǔ yuè èr shíh san hào
tiān shì shí sān
The day after tomorrow will be May 23.

中英文版

第十四課　隨你的方便
Lesson 14　　As You Please

一 課文　TEXT

甲：昨天商量了上課的時間。
zuó tian shang liáng lě shàng kè dě shíh jian
　　tiān shāng　　 le　　　　de shí jiān
Yesterday, we talked about when to have class.

乙：是啊！還沒商量上課的地方。
shìh å　　hái méi shang liáng shàng kè dě dì fang
shì a　　　　　　shāng　　　　　de　 fāng
Yes, but we haven't talked about where to meet.

甲：你覺得在那裡上課好呢？
nǐ jyué dě zài nǎ lǐ shàng kè hǎo ně
　 jué de　　　　　　　　　　　ne
Where do you think would be best?

乙：沒關係，那裡都可以。
méi guan sì　nǎ lǐ dou kě yǐ
　　guān xì　　　　dōu
It doesn't matter to me.

甲：你是老師，一定得隨你的方便。
nǐ shìh lǎo shih　yí dìng děi suéi nǐ dě fang biàn
　 shì　　 shī　　　　　　　súi　　de fāng
You are the teacher. It should be at your convenience.

乙：到我家來上課，你方便嗎？
dào wǒ jia lái shàng kè　nǐ fang biàn må
　　　 jiā　　　　　　　　　 fāng　 ma
Let's have class at my place then. Is that convenient for you?

甲ㄐㄧㄚˇ：很ㄏㄣˇ方ㄈㄤ便ㄅㄧㄢˋ，很ㄏㄣˇ方ㄈㄤ便ㄅㄧㄢˋ。
hěn fang biàn　hěn fang biàn
　　fāng　　　　　fāng

Yes, very much.

乙ㄧˇ：那ㄋㄚˋ麼ㄇㄜ明ㄇㄧㄥ天ㄊㄧㄢ晚ㄨㄢˇ上ㄕㄤ七ㄑㄧ點ㄉㄧㄢˇ鐘ㄓㄨㄥ你ㄋㄧˇ到ㄉㄠˋ我ㄨㄛˇ家ㄐㄧㄚ來ㄌㄞ。
nà　me míng tian wǎn shàng ci diǎn jhong nǐ dào wǒ jia lái
　　me　　　tiān　　　　　　qī　　zhōng　　　　　jiā

Then, come to my place at seven tomorrow night.

甲ㄐㄧㄚˇ：好ㄏㄠˇ的ㄉㄜ，再ㄗㄞˋ見ㄐㄧㄢˋ。
hǎo dě　　zài jiàn
　　de

All right. Good-bye.

二 字ㄗˋ與ㄩˇ詞ㄘ WORDS AND PHRASES

商量（ㄕㄤ ㄌㄧㄤˊ；shang/shāng liáng）talk about, discuss

商：ˋㄧㄠ亠ㄧ丷产产产商商商

量：ˋㄧ口曰旦早昌昌昌昌量量

我ㄨㄛˇ想ㄒㄧㄤˇ跟ㄍㄣ你ㄋㄧˇ商ㄕㄤ量ㄌㄧㄤ一ㄧˊ件ㄐㄧㄢˋ事ㄕˋ。
wǒ siǎng gen nǐ shang liáng yí jiàn shìh
　　xiǎng gēn　　shāng liáng　　　　shì

I want to talk about something with you.

你ㄋㄧˇ想ㄒㄧㄤˇ跟ㄍㄣ我ㄨㄛˇ商ㄕㄤ量ㄌㄧㄤ什ㄕ麼ㄇㄜ？
nǐ siǎng gen wǒ shang liáng shé mě
　　xiǎng gēn　　shāng　　　me

What do you want to talk about?

我ㄨㄛˇ想ㄒㄧㄤˇ商ㄕㄤ量ㄌㄧㄤ上ㄕㄤ課ㄎㄜ的ㄉㄜ時ㄕ間ㄐㄧㄢ。
wǒ siǎng shang liáng shàng kè dě shíh jian
　　xiǎng shāng　　　　　　　　de shí jiān

I want to talk about the time for class.

地方（ㄉㄧˋ ㄈㄤ；dì fang/fāng）place

地：一十土圫圫地地

方：ˋ一ㄏ方方

你ㄋㄧˇ在ㄗㄞˋ什ㄕ麼ㄇㄜ地ㄉㄧˋ方ㄈㄤ教ㄐㄧㄠ書ㄕㄨ？
nǐ zài shé mě dì fang jiao shu
　　　　　me　　fāng jiāo shū

At what place (where) do you teach?

你ㄋㄧˇ在ㄗㄞˋ什ㄕ麼ㄇㄜ地ㄉㄧˋ方ㄈㄤ上ㄕㄤ課ㄎㄜ？
nǐ zài shé mě dì fang shàng kè
　　　　　me　　fāng

Where do you have classes?

你ㄋㄧˇ家ㄐㄧㄚ在ㄗㄞˋ什ㄕ麼ㄇㄜ地ㄉㄧˋ方ㄈㄤ？
nǐ jia zài shé mě dì fang
　　jiā　　　　me　　fāng

Where do you live?

這個地方很大。
jhè gê dì fang hěn dà
zhè ge fāng
This place is big.

在（ㄗㄞˋ；zài）at; a marker showing the progressive tense
在：一ナォ左在在

你在做什麼？
nǐ zài zuò shé mě
me
What are you doing?

我在學寫字。
wǒ zài syué siě zìh
xué xiě zì
I am learning to write.

李先生在家嗎？
Lǐ sian sheng zài jia mǎ
xiān shēng jiā ma
Is Mr. Li at home?

他不在家，他在學校。
ta bú zài jia ta zài syué siào
tā jiā tā xué xiào
He is not home. He is at school.

學校在那裡？
syué siào zài nǎ lǐ
xué xiào
Where is the school?

學校在我家後頭。
syué siào zài wǒ jia hòu tôu
xué xiào jiā tou
The school is behind my house.

家（ㄐㄧㄚ；jia/jiā）home, house, family
家：丶丶宀宀宁宇宇宇家

你家在那裡？
nǐ jia zài nǎ lǐ
jiā
Where is your house?

我家在中山北路五號。
wǒ jia zài jhong shan běi lù wǔ hào
jiā zhōng shān
My house is at No.5 Jhong-shan North Road.

你家有幾個人？
nǐ jia yǒu jǐ gê rén
jiā ge
How many people are there in your family?

我家有七個人。
wǒ jia yǒu ci gè rén
　 jiā 　 qī ge
There are seven people in my family.

你家大不大？
nǐ jia dà bú dà
　 jiā
Is your house big?

我們家不很大。
wǒ mèn jia bù hěn dà
　 men jiā
Our house is not very big.

覺得（ㄐㄩㄝˊ ‧ㄉㄜ；jyué dě/jué de）feel, think
覺：ˊ ˋ ㄋ ㄋ ㄋ ㄒ ㄒ ㄒ ㄒ 阝 阝 阝 阝 與 學 學 學 學 覺 覺 覺 覺 覺

我覺得學中文很有意思。
wǒ jyué dě syué jhong wún hěn yǒu yì sih
　 jué de xué zhōng wén 　 　 si
I think that learning Chinese is interesting.

我覺得要畫好國畫，真不簡單。
wǒ jyué dě yào huà hǎo guó huà jhen bù jiǎn dan
　 jué de 　 　 　 zhēn 　 dān
I think that it is not easy to do Chinese painting.

我覺得梅花很好看。
wǒ jyué dě méi hua hěn hǎo kàn
　 jué de huā
I think plum blossoms are beautiful.

我覺得這首歌很好聽。
wǒ jyué dě jhè shǒu ge hěn hǎo ting
　 jué de zhè gē tīng
I think this is a beautiful song.

我覺得他們都很聰明。
wǒ jyué dě ta mèn dou hěn cong míng
　 jué de tā men dōu cōng
I think they are all very intelligent.

隨（ㄙㄨㄟˊ；suéi/súi）follow
隨：ˊ ㄋ 阝 阝 阝 阝 阝 阝 阝 阝 隋 隋 隋 隋 隨 隨 隨

隨你的意思。
suéi nǐ dě yì sih
súi 　 de 　 si
Do as you wish.

隨你的方便。
suéi nǐ dě fang biàn
súi   de fāng
As you please.

便（ㄅㄧㄢˋ；biàn）fitting; convenient

便：ㄧ ㄧ ㄧ ㄧ ㄏ ㄏ ㄏ 便 便

我們什麼時候上課？
wǒ mén shé mě shíh hòu shàng kè
    men   me shí
When do we have classes?

隨便你，我都方便。
suéi biàn nǐ   wǒ dou fang biàn
súi   dōu fāng
As you please. It's all the same to me.

我們在那裡上課？
wǒ mén zài nǎ lǐ shàng kè
    men
Where will we have classes?

那裡都可以，隨你便。
nǎ lǐ dou kě yǐ   suéi nǐ biàn
     dōu   súi
Anywhere you like will do.

上課時不能太隨便。
shàng kè shíh bù néng tài suéi biàn
        shí   súi
You must not be too casual in class.

再（ㄗㄞˋ；zài）again, more, then

再：ㄧ ㄏ ㄇ ㄇ 再 再

再說一次。
zài shuo yí cìh
    shuō   cì
Repeat once again.

再寫一次。
zài siě yí cìh
    xiě   cì
Write it one more time.

再畫一張。
zài huà yì jhang
           zhāng
Paint one more piece.

先學寫字，再學畫畫。
sian syué siě zìh   zài syué huà huà
xiān xué xiě zì   xué
First learn to write, and then learn to paint.

見（ㄐㄧㄢˋ；jiàn）see

見：丨 冂 冊 月 目 貝 見

再見
zài jiàn
good-bye, see you later

明天見
míng tian jiàn
      tiān
see you tomorrow

看見
kàn jiàn
see

見到
jiàn dào
see

你今天看見李先生沒有？
nǐ jin tian kàn jiàn Lǐ sian sheng méi yǒu
   jīn tiān   xiān shēng
Have you seen Mr. Li?

我看見了。
wǒ kàn jiàn lě
            le
Yes, I have seen him.

你在那裡見到他的？
nǐ zài nǎ lǐ jiàn dào ta dě
              tā de
Where did you see him?

我在學校見到他的。
wǒ zài syué siào jiàn dào ta dě
      xué xiào   tā de
I saw him at school.

三 溫習 REVIEW

甲：昨天只跟你商量了上課的時間。

乙：是啊！還沒商量上課的地方。

甲：你覺得在那裡上課好呢？

乙：沒關係，那裡都可以。

甲：你是老師，一定得隨你的方便。

乙：到我家來上課方便嗎？

甲：方便，方便。

乙：那麼，明天晚上七點鐘，你到我家來。

甲：好的，再見。

四 應用 EXTENDED PRACTICE

甲：我到你家去方便嗎？
wǒ dào nǐ jiā qù fāng biàn ma
Is it convenient if I come to your place?

乙：有什麼不方便？
yǒu shé me bù fāng biàn
What would be inconvenient about it?

甲：你太太會不會不高興？
nǐ tài tǎi huèi bú huèi bù gao sìng
（tai hùi hùi gāo xìng）
Will your wife be unhappy about it?

乙：不會的，她每天晚上也畫畫。
bú huèi dě ta měi tian wǎn shàng yě huà huà
（hùi de tā tiān）
Not at all. She paints every night.

甲：那你們兩個都是畫家。
nà nǐ měn liǎng gě dou shìh huà jia
（men ge dōu shì jiā）
Then both of you are painters.

乙：不能說是畫家，我們都畫得不好。
bù néng shuo shìh huà jia wǒ měn dou huà dě bù hǎo
（shuō shì jiā men dōu de）
Not exactly. We don't paint that well.

甲：你們隨便一畫，都比我畫得好。
nǐ měn suéi biàn yí huà dou bǐ wǒ huà dě hǎo
（men súi dōu de）
Any one of your paintings is better than mine.

乙：我覺得你很聰明，有空多畫一畫，
wǒ jyué dě nǐ hěn cong míng yǒu kòng duo huà yí huà
（jué de cōng duō）

以後一定會畫得很好。
yǐ hòu yí dìng huèi huà dě hěn hǎo
（hùi de）
I think you are very clever, If you practice a lot when availabe , you will paint very well in the future.

甲：謝謝你這麼說。
siè siě nǐ jhè mě shuo
（xiè xie zhè me shuō）
Thank you for saying so.

乙：你可以請你太太一起來。
nǐ kě yǐ cǐng nǐ tài tǎi yì cǐ lái
（qǐng tai yī qǐ）
You can invite your wife to come.

甲：這得跟她商量商量。
jhè děi gen ta shang liáng shang liáng
（zhè gēn tā shāng shāng）
I will have to talk to her.

第十五課　你喜歡畫畫嗎？
Lesson 15　Do You Like to Paint?

 一 　課文　TEXT

 甲：太太，你要不要學畫畫？
tài tǎi　nǐ yào bú yào syué huà huà
tai　　　　　　　　　xué

Honey, do you want to learn to paint?

 乙：我不要學。
wǒ bú yào syué
xué

I don't want to.

 甲：你不喜歡畫畫嗎？
nǐ bù sǐ huan huà huà mǎ
xǐ huān　　　　　ma

Don't you like to paint?

 乙：不是不喜歡，只是覺得我沒有那個天才。
bú shìh bù sǐ huan　jhǐh shih jyué dě wǒ méi yǒu nà gě tian cái
shì　　xǐ huān　zhǐ shì jué de　　　　　　ge tiān

It s not that I don't like it. I just feel that I have no talent for it.

 甲：只要有興趣，天才是可以練習出來的。
jhǐh yào yǒu sìng cyù　tian cái shìh kě yǐ liàn sí chu lái dě
zhǐ　　xìng qù　tiān　shì　　　xí chū　de

If you have an interest, you can develop your ability.

 乙：可是我每天都很忙。
kě shìh wǒ měi tian dou hěn máng
shì　　　tiān dōu

But I am very busy everyday.

甲：別一天到晚忙家事，有空應該

bié yì tian dào wǎn máng jia shìh yǒu kòng yīng gai
tiān jiā shì yīng gāi

出去走走。

chu cyù zǒu zǒu
chū qù

Don't just busy yourself with housekeeping. Sometimes you ought to relax.

乙：好吧，我就跟你一起去學吧。

hǎo bǎ wǒ jiòu gen nǐ yì cǐ cyù syué bǎ
ba jiù gēn qǐ qù xué ba

All right. I will learn to paint with you.

二 字與詞 WORDS AND PHRASES

要（ㄧㄠˋ；yào）want

要：一 丆 币 币 西 西 要 要 要

我要去王小姐家。

wǒ yào cyù Wáng siǎo jiě jia
qù xiǎo jiā

I want to go to Miss Wang's home.

到王小姐家要多久？

dào Wáng siǎo jiě jia yào duo jiǒu
xiǎo jiā duō jiǔ

How long does it take to get there?

到她家要十分鐘。

dào ta jia yào shíh fen jhong
tā jiā shí fēn zhōng

About ten minutes.

別（ㄅㄧㄝˊ；bié）do not; other

別：丶 冂 口 尸 另 別 別

別太忙。

bié tài máng

Don't be too busy.

別太累。

bié tài lèi

Don't get too tired.

別太隨便。

bié tài suéi biàn
súi

Don't be too careless.

喜歡（ㄒㄧˇ ㄏㄨㄢ；sǐ huan/xǐ huān）like

喜：一 十 古 古 吉 吉 吉 吉 吉 責 喜 喜

歡：ノ ノ ノ ノ ノ ノ ノ ノ ノ ノ ノ ノ ノ ノ ノ ノ ノ ノ 歡 歡 歡

我很喜歡畫畫。
wǒ hěn sǐ huan huà huà
　　　 xǐ huān
I like to paint very much.

你喜不喜歡唱歌？
nǐ sǐ bù sǐ huan chàng ge
　 xǐ 　 xǐ huān 　　 gē
Do you like to sing?

天才（ㄊㄧㄢ ㄘㄞˊ；tian/tiān cái）talent; genius

他很聰明，是個天才。
ta hěn cong míng shìh gè tian cái
tā 　 cōng 　　 shì ge tiān
He is very intelligent. He is a genius.

他很有畫畫的天才。
ta hěn yǒu huà huà dě tian cái
tā 　　　　　　 de tiān
He has a talent for painting.

趣（ㄑㄩˋ；cyù/qù）interest, fun

趣：一 十 土 圭 走 走 走 走 起 趄 趣 趣 趣 趣

學中文很有趣。
syué jhong wún hěn yǒu cyù
xué zhōng wén 　　　 qù
It's fun to learn Chinese.

這件事很有趣。
jhè jiàn shìh hěn yǒu cyù
zhè 　 shì 　　　 qù
This is interesting.

興趣（ㄒㄧㄥˋ ㄑㄩˋ；sìng cyù/xìng qù）to be interested in

我對學中文很有興趣。
wǒ duèi syué jhong wún hěn yǒu sìng cyù
　 dùi xué zhōng wén 　　　 xìng qù
I am interested in learning Chinese.

我對這件事很有興趣。
wǒ duèi jhè jiàn shìh hěn yǒu sìng cyù
　 dùi zhè 　 shì 　　　 xìng qù
I am interested in this.

畫畫很有趣，你有沒有興趣學？
huà huà hěn yǒu cyù 　 nǐ yǒu méi yǒu sìng cyù syué
　　　　　 qù 　　　　　　 xìng qù xué
Painting is fun. Are you interested in learning it?

練習（ㄌㄧㄢˋ ㄒㄧˊ；liàn sí/xí）practice

練：ㄥˊ ㄥ ㄥ ㄥ 糸 糸 糺 紅 紳 紳 紳 紳 練 練

習：ㄱ ㄱ ㄱ ㄱ ㄱㄱ 羽 羽 羽 習 習 習 習

學說話，要多練習。

syué shuo huà　yào duo liàn sí
xué shuō　　duō　　 xí

You should practice more when learning speaking.

多練習就能說得很好。

duo liàn sí jiòu néng shuo dě hěn hǎo
duō　 xí jiù　　 shuō de

If you practice a lot, you will be able to speak well.

我在練習寫字。

wǒ zài liàn sí siě zìh
　　　 xí xiě zì

I am practicing writing.

這種練習很有用。

jhè jhǒng liàn sí hěn yǒu yòng
zhè zhǒng　 xí

This kind of practice is useful.

應該（ㄧㄥ ㄍㄞ；ying gai/yīng gāi）should, ought to, must

應：丶 一 广 广 广 广 庐 庐 庐 庐 雁 雁 雁 雁 應 應 應

該：丶 亠 亠 言 言 言 言 訂 訶 該 該 該

學生都應該用功。

syué sheng dou ying gai yòng gong
xué shēng dōu yīng gāi　　 gōng

Every student ought to study hard.

你應該早點來。

nǐ ying gai zǎo diǎn lái
　 yīng gāi

You should come earlier.

你不應該太累。

nǐ bù ying gai tài lèi
　　 yīng gāi

You should not get too tired.

走（ㄗㄡˇ；zǒu）go, walk

走：一 十 土 キ キ 走 走

張先生走了。

Jhang sian sheng zǒu lě
Zhāng xiān shēng　 le

Mr. Jhang has left.

中ㄓㄨㄥ英ㄧㄥ文ㄨㄣˊ版ㄅㄢˇ

他ㄊㄚ什ㄕㄜˊ麼ㄇㄜ時ㄕˊ候ㄏㄡˋ走ㄗㄡˇ的ㄉㄜ？

ta   shé   mě   shíh   hòu   zǒu   dě
tā   me   shí   de

When did he leave?

他ㄊㄚ五ㄨˇ點ㄉㄧㄢˇ半ㄅㄢˋ走ㄗㄡˇ的ㄉㄜ。

ta   wǔ   diǎn   bàn   zǒu   dě
tā   de

At half past five.

出去（ㄔㄨ ㄑㄩˋ；chu cyù/chū qù）walk around and relax, (go) out

出：ㄥ ㄩ 屮 出 出

出ㄔㄨ去ㄑㄩˋ
chu   cyù
chū   qù
go out

出ㄔㄨ來ㄌㄞˊ
chu   lái
chū
come out

進ㄐㄧㄣ去ㄑㄩˋ
jìn   cyù
      qù
get in

進ㄐㄧㄣ來ㄌㄞˊ
jìn   lái
come in

就（ㄐㄧㄡˋ；jiòu/jìu）then, on the point of

就：ㄥ 一 亠 亠 古 亨 京 京 京 就 就 就

我ㄨㄛˇ現ㄒㄧㄢ在ㄗㄞˋ就ㄐㄧㄡˋ要ㄧㄠˋ回ㄏㄨㄟˊ家ㄐㄧㄚ。

wǒ   siàn   zài   jiòu   yào   huéi   jia
      xiàn   jiu   húi   jiā

I am going home now.

他ㄊㄚ一ㄧ學ㄒㄩㄝˊ就ㄐㄧㄡˋ會ㄏㄨㄟˋ。

ta   yì   syué   jiòu   huèi
tā   xué   jiu   hùi

He can do it once he learns.

我ㄨㄛˇ一ㄧ看ㄎㄢˋ就ㄐㄧㄡˋ明ㄇㄧㄥˊ白ㄅㄞˊ了ㄌㄜ。

wǒ   yí   kàn   jiòu   míng   bái   lě
                 jiu   le

I can understand it once I take a look.

起（ㄑㄧˇ；cǐ/qǐ）get up, rise

起：一 十 土 キ キ 走 走 起 起

你 每 天 早 上 什 麼 時 候 起 來 ？
nǐ měi tiān zǎo shàng shé me shíh hòu cǐ lái
                   me shí   qǐ

What time do you get up every morning?

我 每 天 六 點 鐘 就 起 來 了 。
wǒ měi tiān liòu diǎn jhong jiòu cǐ lái lě
      tiān lìu   zhōng jìu qǐ   le

I get up at six o'clock every morning.

三 溫習 REVIEW

 甲：太太，你要不要學畫畫？

 乙：我不要學。

 甲：你不喜歡畫畫嗎？

 乙：不是不喜歡，只是覺得我沒有畫畫的天才。

 甲：只要有興趣，天才是可以練習出來的。

 乙：可是我每天都很忙。

 甲：別一天到晚忙家事，有空應該出去走走。

 乙：好吧，我就跟你一起去學吧。

四 應用 EXTENDED PRACTICE

甲：我很喜歡畫畫，可是沒有天才。
wǒ hěn sǐ huan huà huà　kě shìh méi yǒu tian cái
　　　　xǐ huān　　　　　　shì　　　　　　tiān
I like to paint, but I have no talent.

乙：只要喜歡，你就應該去學。
jhǐh yào sǐ huan　nǐ jiòu ying gai cyù syué
zhǐ　　xǐ huān　　jìu yīng gāi qù xué
If you like it, then you ought to learn it.

甲：那麼我應該多練習。
nà me wǒ ying gai duo liàn sí
　　me　yīng gāi duō　xí
Then, I should practice a lot.

乙：是啊，練習久了就有興趣。
shìh ǎ　liàn sí jiǒu lě jiòu yǒu sìng cyù
shì a　　xí jiǔ le jìu　xìng qù
Yes, the more you practice, the more interest you will have.

甲：走，我們一起去學吧。
zǒu　wǒ měn yì cǐ cyù syué bǎ
　　men　qǐ qù xué ba
Let's go and learn together.

第十六課　到那裡去買？

Lesson 16　　Where Can We Buy Them?

一　課文　TEXT

甲：我們應該準備一些畫具。
wǒ mén yīng gai jhǔn bèi yì sie huà jyù
　　men yīng gāi zhǔn　　xiē　　jù
We should prepare some painting equipment.

乙：紙、墨、硯都已經有了。
jhǐh mò yàn dou yǐ jing yǒu le
zhǐ　　　dōu　jīng　　lě
We have paper, an ink-stick, and an ink-slab.

甲：應該再買幾枝毛筆。
yīng gai zài mǎi jǐ jhih máo bǐ
yīng gāi　　　　zhī
We should buy some writing brushes.

乙：到那裡買呢？
dào nǎ lǐ mǎi ne
　　　　　　ně
Where can we buy them?

甲：文具店、百貨公司都有賣，有的書店也賣。
wún jyù diàn bǎi huò gong sih dou yǒu mài yǒu de shu diàn yě mài
wén jù　　　　gōng sī dōu　　　　　de shū
At stationer or department stores. Some bookstores sell brushes too.

乙：今天下午我們一起上街去買。
jin tian sià wǔ wǒ mén yì cǐ shàng jie cyù mǎi
tiān xià　　　men　　qǐ　　jiē qù
Let's go shopping this afternoon.

甲：好的，我想順便也買一些別的東西。
hǎo de wǒ siǎng shùn biàn yě mǎi yì sie bié de dong si
　de　　xiǎng　　　　　xiē　　de dōng xi
OK. I would like to buy some other things.

字與詞　WORDS AND PHRASES

準備（ㄓㄨㄣˇ ㄅㄟˋ；jhǔn/zhǔn　bèi）prepare; get ready; intend

準：ˋ ˋ 氵 氵 汁 汁 洰 浑 泩 淮 淮 準 準

備：ノ 亻 仁 仁 伴 伴 備 備 備 備 備

你準備什麼時候去台北？
nǐ jhǔn bèi shé me shíh hòu cyù tái běi
　　zhǔn　　me shí　　qù

When are you planning to go to Taipei?

你準備上街買些什麼？
nǐ jhǔn bèi shàng jie mǎi sie shé me
　　zhǔn　　　jiē　　xiē　　me

What do you intend to buy when going downtown?

你明天準備教什麼？
nǐ míng tian jhǔn bèi jiao shé me
　　　tiān zhǔn　jiāo　　me

What do you plan to teach tomorrow?

上課以前一定要準備功課。
shàng kè yǐ cián yí dìng yào jhǔn bèi gong kè
　　　　qián　　　　　zhǔn　　gōng

We have to preview the lessons before classes.

些（ㄒㄧㄝ；sie/xiē）a classifier signaling plurality; a small quantity or number

些：一 一 ╂ ╆ 止 此 此 些 些

這些東西是我的。
jhè sie dong si shìh wǒ dě
zhè xiē dōng xi shì　　de

These things are mine.

那些東西是誰的？
nà sie dong si shìh shéi dě
　　xiē dōng xi shì　　de

To whom do those things belong?

那些人在唱歌。
nà sie rén zài chàng ge
　　xiē　　　　gē

Those people are singing.

這些學生很用功。
jhè sie syué sheng hěn yòng gong
zhè xiē xué shēng　　　　gōng

These students study very hard.

具（ㄐㄩˋ；jyù/jù）implement, equipment

具：丨 冂 冂 月 月 且 具 具

文具
wún jyù
wén jù
stationery

工具
gong jyù
gōng jù
instruments; equipment; tools

畫具
huà jyù
jù
painting equipment

紙（ㄓˇ；jhǐh/zhǐ）paper

紙：㇐ ㇐ ㇐ ㇐ ㇐ ㇐ 紅 紅 紆 紙

我有一張很大的紙。
wǒ yǒu yì jhang hěn dà dẻ jhǐh
zhāng de zhǐ
I have a large sheet of paper.

這張紙可以畫畫。
jhè jhang jhǐh kě yǐ huà huà
zhè zhāng zhǐ
This sheet of paper can be painted on.

墨（ㄇㄛˋ；mò）ink

墨：丶 冂 冂 冂 四 四 甲 里 里 黑 黑 黑 墨 墨 墨

墨汁
mò jhih
zhī
ink

墨水
mò shuěi
shǔi
ink

硯（一ㄢˋ；yàn）ink-slab, ink-stone

硯：一 丆 不 石 石 石 矶 矶 砠 砠 砚 硯

硯台
yàn tái
ink-slab

紙、筆、墨、硯是文房四寶。
jhǐh bǐ mò yàn shìh wún fáng sìh bǎo
zhǐ shì wén fáng sì
Paper, writing brushes, ink, and the ink-slab are the four treasures of the study.

買（ㄇㄞˇ；mǎi）buy

買：丶 一 冂 罒 罒 罒 罒 罒 胃 胃 胃 買 買

你ㄋㄧˇ要ㄧㄠˋ買ㄇㄞˇ什ㄕㄜˊ麼ㄇㄜ˙？
nǐ　yào mǎi shé　mě
　　　　　　　　　me
What do you want to buy?

我ㄨㄛˇ要ㄧㄠˋ買ㄇㄞˇ筆ㄅㄧˇ。
wǒ yào mǎi bǐ
I want to buy pens.

賣（ㄇㄞˋ；mài）sell

賣：一 十 士 吉 吉 声 声 壶 壶 膏 膏 膏 賣 賣 賣

你ㄋㄧˇ們ㄇㄣ˙賣ㄇㄞˋ什ㄕㄜˊ麼ㄇㄜ˙？
nǐ　měn mài shé　mě
　　men　　　　　me
What do you sell?

我ㄨㄛˇ們ㄇㄣ˙賣ㄇㄞˋ文ㄨㄣˊ具ㄐㄩˋ和ㄏㄢˋ書ㄕㄨ。
wǒ měn mài wún jyù hàn shu
　　men　　　wén jù　　　shū
We sell writing materials and books.

店（ㄉㄧㄢˋ；diàn）store, shop

店：丶 一 广 广 庁 庄 店 店

商ㄕㄤ店ㄉㄧㄢˋ
shang diàn
shāng
store

書ㄕㄨ店ㄉㄧㄢˋ
shu diàn
shū
bookstore

文ㄨㄣˊ具ㄐㄩˋ店ㄉㄧㄢˋ
wún jyù diàn
wén jù
stationer

飯ㄈㄢˋ店ㄉㄧㄢˋ
fàn diàn
restaurant

百貨公司（ㄅㄞˇㄏㄨㄛˋㄍㄨㄥㄙ；bǎi huò gong sih/gōng sī）
department store

貨：丿 亻 亻 仁 化 化 貨 貨 貨 貨 貨 貨

公：丿 八 公 公

司：丁 丁 司 司 司

公司
gong sih
gōng sī

company, corporation

你在那裡做事？
nǐ zài nǎ lǐ zuò shìh
　　　　　　　　shì

Where are you working?

我在百貨公司做事。
wǒ zài bǎi huò gong sih zuò shìh
　　　　　　　gōng sī　　 shì

I'm working at a department store.

你們的公司在那裡？
nǐ men dě gong sih zài nǎ lǐ
　 men de gōng sī

Where is your company?

他們的公司在中山北路。
ta men dě gong sih zài jhong shan běi lù
tā men de gōng sī　　 zhōng shān

Their company is on Jhong-shan North Road.

街（ㄐㄧㄝ；jie/jiē）street

街：ㄒ ㄅ ㄔ ㄔ 律 律 律 律 街 街 街 街

上街
shàng jie
　　 jiē

go out on the street, go downtown

街上
jie shàng
jiē

on the street, downtown

你要上街嗎？
nǐ yào shàng jie mǎ
　　　　　 jiē ma

Are you going downtown?

是的，我上街走走。
shìh dě　 wǒ shàng jie zǒu zǒu
shì de　　　　　 jiē

Yes, I'm going downtown.

你上街做什麼？
nǐ shàng jie zuò shé me
　　　 jiē　　　 mě

Why are you going around downtown?

我上街買一點東西。
wǒ shàng jie mǎi yì diǎn dong si
　　　 jiē　　　　　 dōng xi

I want to buy something.

東（ㄉㄨㄥ；dong/dōng）east
東：一 丅 冂 冋 百 申 東 東

西（ㄒㄧ；si/xī）west
西：一 丅 冂 丙 西 西

南（ㄋㄢˊ；nán）south
南：一 十 𠂇 冇 冇 冇 南 南 南

北（ㄅㄟˇ；běi）north
北：丨 丬 丬 北 北

西方人喜歡東方的東西。
si fang rén sǐ huan dong fang dě dong si
xī fāng xǐ huān dōng fāng de dōng xi
Westerners like Eastern things.

在中國，北方比南方冷。
zài jhong guó běi fang bǐ nán fang lěng
zhōng fāng fāng
In China, the northern area is colder than the southern area.

我喜歡台灣的東西。
wǒ sǐ huan tái wan dě dong si
xǐ huān wān de dōng xi
I like Taiwan-made things.

台灣的東西很好。
tái wan dě dong si hěn hǎo
wān de dōng xi
Taiwan-made things are very good.

三 溫習 REVIEW

甲：我們應該準備一些畫具。

乙：紙、墨、硯都已經有了。

甲：應該再買幾枝毛筆。

乙：到那裡買呢？

甲：文具店、百貨公司都有賣，有的書店也賣。

乙：今天下午我們可以一起上街去買。

甲：好的，我想順便也買一些別的東西。

四　應ㄧㄥ用ㄩㄥ　**EXTENDED PRACTICE**

甲ㄐㄧㄚ：你ㄋㄧ準ㄓㄨㄣ備ㄅㄟ上ㄕㄤ街ㄐㄧㄝ買ㄇㄞ些ㄒㄧㄝ什ㄕㄜ麼ㄇㄜ東ㄉㄨㄥ西ㄒㄧ？
nǐ jhǔn bèi shàng jie mǎi sie shé mě dong si
　　zhǔn　　　　jiē　　xiē　　me dōng xi

What do you plan to buy when you go downtown?

乙ㄧ：我ㄨㄛ準ㄓㄨㄣ備ㄅㄟ買ㄇㄞ些ㄒㄧㄝ文ㄨㄣ具ㄐㄩ。
wǒ jhǔn bèi mǎi sie wún jyù
　　zhǔn　　　xiē wén jù

I plan to buy some stationery.

甲ㄐㄧㄚ：你ㄋㄧ到ㄉㄠ那ㄋㄚ裡ㄌㄧ去ㄑㄩ買ㄇㄞ呢ㄋㄜ？
nǐ dào nǎ lǐ cyù mǎi ně
　　　　　　qù　　　ne

Where are you going to buy it ?

乙ㄧ：我ㄨㄛ到ㄉㄠ百ㄅㄞ貨ㄏㄨㄛ公ㄍㄨㄥ司ㄙ去ㄑㄩ買ㄇㄞ。
wǒ dào bǎi huò gong sih cyù mǎi
　　　　　　　gōng sī qù

I'm going to a department store to buy it.

甲ㄐㄧㄚ：百ㄅㄞ貨ㄏㄨㄛ公ㄍㄨㄥ司ㄙ也ㄧㄝ賣ㄇㄞ筆ㄅㄧ嗎ㄇㄚ？
bǎi huò gong sih yě mài bǐ mǎ
　　　gōng sī　　　　　　ma

Do department stores sell pens?

乙ㄧ：百ㄅㄞ貨ㄏㄨㄛ公ㄍㄨㄥ司ㄙ什ㄕㄜ麼ㄇㄜ都ㄉㄡ賣ㄇㄞ。
bǎi huò gong sih shé mě dou mài
　　　gōng sī　　me dōu

Yes, department stores sell everything.

甲ㄐㄧㄚ：書ㄕㄨ店ㄉㄧㄢ也ㄧㄝ賣ㄇㄞ筆ㄅㄧ嗎ㄇㄚ？
shu diàn yě mài bǐ mǎ
shū　　　　　　　ma

Do bookstores sell pens?

乙ㄧ：有ㄧㄡ的ㄉㄜ賣ㄇㄞ，有ㄧㄡ的ㄉㄜ不ㄅㄨ賣ㄇㄞ。
yǒu dě mài　yǒu dě bú mài
　　de　　　　　de

Some do. Some don't.

甲ㄐㄧㄚ：你ㄋㄧ還ㄏㄞ買ㄇㄞ別ㄅㄧㄝ的ㄉㄜ東ㄉㄨㄥ西ㄒㄧ嗎ㄇㄚ？
nǐ hái mǎi bié dě dong si mǎ
　　　　　　　de dōng xi ma

Are you going to buy anything else?

乙ㄧ：我ㄨㄛ不ㄅㄨ買ㄇㄞ別ㄅㄧㄝ的ㄉㄜ東ㄉㄨㄥ西ㄒㄧ了ㄌㄜ。
wǒ bù mǎi bié dě dong si lě
　　　　　　　de dōng xi le

No, I'm not going to buy anything else.

第十七課　多少錢一枝？
Lesson 17　　　　How Much is it?

 一　課文　TEXT

 甲：請問，毛筆一枝多少錢？
cǐng wùn　　máo bǐ　yì jhih　duo shǎo cián
qǐng wèn　　　　　zhī　duō　　qián
Excuse me. How much is a writing brush?

 乙：這種筆一枝五百塊。
jhè jhǒng bǐ　yì　jhih　wǔ bǎi kuài
zhè zhǒng　　　zhī
This kind is $500 each.

 甲：五百塊？太貴了。
wǔ bǎi kuài　　tài guèi lě
gùi le
Five hundred dollars? That's too expensive.

 乙：我們也有便宜的。
wǒ měn yě yǒu pián yí dě
men　　　　　de
We have some cheaper ones.

 甲：便宜的好寫嗎？
pián yí　dě　hǎo siě mǎ
de　　　xiě ma
Do the cheap ones write well?

 乙：便宜的也好寫，只是不好看。
pián yí　dě　yě hǎo siě　　jhǐh shìh bù hǎo kàn
de　　　xiě　zhǐ shì
Cheap ones write well too, but they are not as attractive.

甲：不好看沒關係。多少錢一枝？
bù hǎo kàn méi guan sì　　duo shǎo cián yì jhih
　　　　　　　guān xì　　duō　　qián　zhī
Not attractive! That doesn't matter. How much is one?

乙：一百五十塊一枝。
yì bǎi wǔ shíh kuài yì jhih
　　　　shí　　　　zhī
A hundred and fifty dollars.

甲：那麼我買兩枝。
nà me wǒ mǎi liǎng jhih
　　me　　　　　　zhī
Then, I'll buy two of them.

乙：兩枝一共三百塊錢。
liǎng jhih yí gòng san bǎi kuài cián
　　zhī　　　　san　　　　qián
Two will be three hundred dollars.

甲：這是五百塊。
jhè shìh wǔ bǎi kuài
zhè shì
This is a five-hundred-dollar bill.

乙：你有沒有零錢？
nǐ yǒu méi yǒu líng cián
　　　　　　　　qián
Have you got any smaller change?

甲：對不起，我沒有。
duèi bù cǐ　　wǒ méi yǒu
dùi　　qǐ
I'm sorry, I don't have any.

乙：沒關係，我可以換開。好了，找你兩百塊，謝謝。
méi guan sì　　wǒ kě yǐ huàn kai　　hǎo lě　　jhǎo nǐ liǎng bǎi kuài　　siè siě
　　guān xì　　　　　　　　kāi　　　le　zhǎo　　　　　　　　　xiè xie
That's all right. I can give you change. Here's two hundred dollars. Thank you.

 字與詞　WORDS AND PHRASES

錢（ㄑㄧㄢˊ；cián/qián）money
錢：ノ ト キ キ 缶 缶 缶 金 釒 釓 鉽 錢 錢 錢 錢

他很有錢。
ta hěn yǒu cián
tā　　　　qián
He has a lot of money.

毛筆一枝多少錢？
máo bǐ yì jhih duo shǎo cián
　　　　zhī duō　　qián
How much does a writing brush cost?

硯台一個多少錢？
yàn tái yí gě duo shǎo cián
　　　　　ge duō　qián
How much does an ink-slab cost?

塊（ㄎㄨㄞˋ；kuài）dollar

元（ㄩㄢˊ；yuán）

塊：一十土圹圹坷坷坤坤塊塊塊

元：一二テ元

毛（ㄇㄠˊ；máo）dime

角（ㄐㄧㄠˇ；jiǎo）

毛：一二三毛

角：一ケ产角角角角

分（ㄈㄣ；fen/fēn）cent

分：一八分分

三塊（錢）
san kuài 　cián
sān 　　　qián
three dollars

五毛（錢）
wǔ máo 　cián
　　　　　qián
five dimes

七分（錢）
ci fen 　cián
qī fēn 　qián
seven cents

四塊八毛（錢）
sìh kuài ba máo 　cián
sì 　　　bā 　　　qián
four dollars and eight dimes

兩毛五分（錢）
liǎng máo wǔ fen 　cián
　　　　　　　fēn 　qián
two dimes and five cents

五千三百四十塊（錢）
wǔ cian san bǎi sìh shíh kuài 　cián
　　qiān sān 　　sì shí 　　　qián
five thousand three hundred and forty dollars

種（ㄓㄨㄥˇ；jhǒng/zhǒng）a kind, type
種：ㄥ ㄥ 千 禾 禾 禾 秆 秆 稇 種 種 種 種

你要買那種筆？
nǐ yào mǎi nǎ jhǒng bǐ
　　　　　zhǒng
What kind of pen do you want?

他要學那種畫？
ta yào syué nǎ jhǒng huà
tā　 xué　 zhǒng
What kind of painting does he want to learn?

這種紙貴嗎？
jhè jhǒng jhǐh guèi mǎ
zhè zhǒng zhǐ guì ma
Is this kind of paper very expensive?

貴（ㄍㄨㄟˋ；guèi/guì）expensive
貴：ㄥ ㄇ ㄇ 虫 虫 虫 胄 胄 青 昔 貴 貴

這本書貴不貴？
jhè běn shu guèi bú guèi
zhè　 shū　 guì　 guì
Is this book expensive?

這本書很貴。
jhè běn shu hěn guèi
zhè　 shū　 guì
This book is very expensive.

便宜（ㄆㄧㄢˊ ㄧˊ；pián yí）cheap
宜：ㄥ ㄥ 宀 宀 宁 宜 宜 宜

這本書太貴了，便宜一點好嗎？
jhè běn shu tài guèi lě pián yí yì diǎn hǎo mǎ
zhè　 shū　 guì le　 　　　　　　　　　　ma
This book is too expensive. Can you give me a discount?

好的，我再便宜一塊錢。
hǎo dě wǒ zài pián yí yí kuài cián
　 de　　　　　　　　　　　qián
All right. I will discount it one dollar.

共（ㄍㄨㄥˋ；gòng）common; same
共：一 十 卅 共 共 共

一共
yí gòng
altogether

這些書一共多少錢？
jhè sie shu yí gòng duo shǎo cián
zhè xiē shū　　　　duō　　 qián
How much are these books altogether?

看（ㄎㄢˋ；kàn）look at, see

看：一 二 三 手 羊 看 看 看 看

梅花很好看。
méi hua hěn hǎo kàn
　　 huā
Plum blossoms are very beautiful.

這張畫很好看。
jhè jhang huà hěn hǎo kàn
zhè zhāng
This painting is very beautiful.

你看見李先生了嗎？
nǐ kàn jiàn Lǐ sian sheng lè mǎ
　　　　　　 xiān shēng le ma
Have you seen Mr. Li?

我沒有看見。
wǒ méi yǒu kàn jiàn
I haven't seen him.

零錢（ㄌㄧㄥˊ ㄑㄧㄢˊ；líng cián/qián）small change; petty cash

你有沒有零錢？
nǐ yǒu méi yǒu líng cián
　　　　　　　　 qián
Have you got any change?

對（ㄉㄨㄟˋ；duèi/dùi）right, correct

對：一 丨 丨丨 丨丨 业 业 业 业 业 丵 丵 丵 對 對

我說的對不對？
wǒ shuo dě duèi bú duèi
　　 shuō de dùi　　 dùi
Is what I said correct?

對，你說的很對。
duèi　　 nǐ shuo dě hěn duèi
dùi　　　　 shuō de　　 dùi
Yes, what you said is right.

對不起！
duèi bù cǐ
dùi　　 qǐ
I'm sorry. Excuse me.

換（ㄏㄨㄢˋ；huàn）change

換：一 十 扌 扩 扩 护 护 挽 換 換 換

開（ㄎㄞ；kai/ kāi）open

開：丨 冂 冂 冂 冃 冃 門 門 門 門 閂 閂 開 開

我去換一點零錢。
wǒ cyù huàn yì diǎn líng cián
　　 qù 　　　　　　　 qián
I'll go and get some change.

這是一百塊錢，你能換開嗎？
jhè shìh yì bǎi kuài cián　 nǐ néng huàn kai mǎ
zhè shì 　　　　　 qián 　　　　　　 kāi ma
This is a one-hundred-dollar bill. Can you change it?

對不起，我的零錢不夠，我換不開。
duèi bù cǐ 　 wǒ dě líng cián bú gòu 　 wǒ huàn bù kai
dùi 　 qǐ 　　　 de 　 qián 　　　　　　　　　 kāi
I'm sorry. I don't have enough change. I can't change it.

找（ㄓㄠˇ；jhǎo/zhǎo）find, look for

找：一 十 扌 扌 扩 找 找

你找什麼？
nǐ jhǎo shé mě
　 zhǎo 　　 me
What are you looking for?

我找筆，我的筆找不到了。
wǒ jhǎo bǐ 　 wǒ dě bǐ jhǎo bú dào lě
　 zhǎo 　　　 de 　 zhǎo 　　 le
I'm looking for my pen. I can't find my pen.

他找誰？
ta jhǎo shéi
tā zhǎo
Who is he looking for?

他找李小姐。
ta jhǎo Lǐ siǎo jiě
tā zhǎo 　 xiǎo
He's looking for Miss Li.

這是一百塊，請你找錢。
jhè shìh yì bǎi kuài 　 cǐng nǐ jhǎo cián
zhè shì 　　　　　　　 qǐng 　 zhǎo qián
This is a one-hundred dollar bill. Please give me change.

好的，找你十五塊。
hǎo dě 　 jhǎo nǐ shíh wǔ kuài
　 de 　 zhǎo 　 shí
Yes, of course. Here's fifteen dollars.

三 溫習 REVIEW

甲：請問，毛筆一枝多少錢？

乙：這種筆一枝五百塊。

甲：五百塊？太貴了。

乙：我們也有便宜的。

甲：便宜的好寫嗎？

乙：便宜的也好寫，只是不好看。

甲：不好看沒關係。多少錢一枝？

乙：一百五十塊一枝。

甲：那麼我買兩枝。

乙：兩枝一共三百塊錢。

甲：這是五百塊。

乙：你有沒有零錢？

甲：對不起，我沒有。

乙：沒關係，我可以換開。好了，找你兩百塊，謝謝。

四　應用　EXTENDED PRACTICE

甲：你買了些什麼？
nǐ mǎi lě sie shé me
　　　　le xiē　 me

What did you buy?

乙：我買了一些文具。
wǒ mǎi lě yì sie wún jyù
　　　 le　 xiē wén jù

I bought some stationery.

甲：你在那裡買的？
nǐ zài nǎ lǐ mǎi de
　　　　　　　 dě

Where did you buy it?

乙：我在百貨公司買的。
wǒ zài bǎi huò gong sih mǎi dě
　　　　　　 gōng sī　 de

I bought it at a department store.

甲：百貨公司的東西貴不貴？
bǎi huò gong sih dě dong si guèi bú guèi
　　　　 gōng sī de dōng xi gùi　 gùi

Are things at the department store very expensive?

乙：不一定，有的貴，有的便宜。
bù yí dìng　 yǒu dě guèi　 yǒu dě pián yí
　　　　　　　 de gùi　　　 de

Not necessarily. Some are expensive, and some are cheap.

甲：你一共用了多少錢？
nǐ　 yí gòng yòng lě duo shǎo cián
　　　　　　　 le duō　 qián

How much did you spend altogether?

乙：一共用了三百二十塊。
yí gòng yòng lě san bǎi èr shíh kuài
　　　　　 le sān　 shí

I spent $320 in all.

甲：你準備零錢了嗎？
nǐ jhǔn bèi líng cián lě mǎ
　 zhǔn　　 qián le ma

Did you have the correct change ready?

乙：沒有，我給他們五百塊，他們找我錢。
méi yǒu　 wǒ gěi ta mén wǔ bǎi kuài　 ta mén jhǎo wǒ cián
　　　　　　　 tā men　　　　　　 tā men zhǎo　 qián

No, I gave them a five-hundred dollar bill, and they gave me change.

甲：他們找了多少？
ta mén jhǎo lě duo shǎo
tā men zhǎo le duō

How much change did they give?

乙：你說呢？
nǐ shuo ně
　 shuō ne

Can you guess?

中英文版

第十八課　來不及了
Lesson 18　It's Too Late

一　課文　TEXT

甲：現在幾點了？
siàn zài jǐ diǎn lě
xiàn　　　　　le
What time is it?

乙：已經快六點半了。
yǐ jing kuài liòu diǎn bàn lě
　　jīng　　liù　　　　　le
It's already six-thirty.

甲：那我們來不及吃晚飯了。
nà wǒ mèn lái bù jí chih wǎn fàn lě
　　　men　　　　　chī　　　　le
Then we can't get there for dinner in time.

乙：張先生家離我們家不遠。
Jhang sian sheng jia lí wǒ mèn jia bù yuǎn
Zhāng xiān shēng jiā　　　men jiā
Mr. Jhang's place is not far away from here.

甲：可是也不近。走路要三十分鐘。
kě shìh yě bú jìn　　zǒu lù yào san shíh fen jhong
　　shì　　　　　　　　　　　sān shí fēn zhōng
It's not that near either. It takes thirty minutes to walk there.

乙：開車去，只要十分鐘。
kai che cyù　　jhǐh yào shíh fen jhong
kāi chē qù　　zhǐ　　shí fēn zhōng
It takes only ten minutes by car.

甲：要是開車去，六點五十走也來得及。
yào shìh kai che cyù　　liòu diǎn wǔ shíh zǒu yě lái dě jí
　　shì kāi chē qù　　liù　　　shí　·　　　　de
If we take the car, we can leave at ten to seven.

乙：是啊，所以不必急，慢慢來吧。
shìh ǎ　　suǒ yǐ bú bì jí　　màn màn lái bǎ
shì a　　　　　　　　　　　　　　　　ba
That's right. So we don't need to rush. We can take our time.

120

二 字與詞 WORDS AND PHRASES

現在（ㄒㄧㄢˋ ㄗㄞˋ；siàn/xiàn zài）now

現：一 二 于 王 玡 玾 珇 珇 珇 現 現

現在幾點了？
siàn zài jǐ diǎn lê
xiàn   le

What time is it now?

現在我們做什麼？
siàn zài wǒ mén zuò shé mê
xiàn   men   me

What can we do at present?

快（ㄎㄨㄞˋ；kuài）fast, almost, soon

快：' ㄐ ㄐ 忄 忄 快 快

快八點了。
kuài ba diǎn lê
      bā   le

It's almost eight o'clock.

快（一）點起來。
kuài yì diǎn cǐ lái
           qǐ

Hurry to get up.

別吃得太快。
bié chih dê tài kuài
    chī de

Don't eat too fast.

別走得太快。
bié zǒu dê tài kuài
        de

Don t walk too fast.

慢（ㄇㄢˋ；màn）slow, slowly

慢：' ㄐ ㄐ 忄 忄 忄 忄 忄 忄 帽 帽 慢 慢 慢

他做事很慢。
ta zuò shih hěn màn
tā   shì

He works slowly.

請你說慢一點。
cǐng nǐ shuo màn yì diǎn
qǐng   shuō

Please speak a little more slowly.

你的錶慢不慢？
nǐ dê biǎo màn bú màn
   de

Does your watch keep good time or not?

我的錶不慢，我的錶很準。
wǒ dě biǎo bú màn wǒ dě biǎo hěn jhǔn
de de zhǔn
Yes, my watch keeps very good time.

來不及（ㄌㄞˊ ㄅㄨˋ ㄐㄧˊ；lái bù jí）too late to make it
及：㇇ 乃 乃 及

已經快八點了，我來不及吃早飯了。
yǐ jing kuài ba diǎn lě wǒ lái bù jí chih zǎo fàn lě
jīng bā le chī le
It's almost eight. It's too late for me to have breakfast.

這個鐘快了二十分鐘，你慢慢吃，一定來得及。
jhè gě jhong kuài lě èr shíh fen jhong nǐ màn màn chih yí dìng lái dě jí
zhè ge zhōng le shí fēn zhōng chī de
This clock is twenty minutes fast. You can eat slowly. You will make it.

吃（ㄔ；chih/chī）eat, have
吃：丨 口 口 口' 口𠂉 吃

中午你想吃什麼？
jhong wǔ nǐ siǎng chih shé mě
zhōng xiǎng chī me
What do you want to eat for lunch?

我想吃中國菜，你呢？
wǒ siǎng chih jhong guó cài nǐ ně
xiǎng chī zhōng ne
I would like to eat Chinese food. How about you?

我只想吃一點水果。
wǒ jhǐh siǎng chih yì diǎn shuěi guǒ
zhǐ xiǎng chī shǔi
I would only like to have some fruit.

飯（ㄈㄢˋ；fàn）food, meal, cooked rice
飯：丿 𠂉 𠂇 今 今 今 食 食 飠 飣 飯 飯

早飯
zǎo fàn
breakfast

中飯
jhong fàn
zhōng
lunch

晚飯
wǎn fàn
dinner

你吃過飯了嗎？
nǐ chih guò fàn lě mǎ
　　chī　　　　le ma
Have you eaten your meal?

我吃過飯了。
wǒ chih guò fàn lě
　　chī　　　　le
I have eaten (my meal).

離（ㄌㄧˊ；lí）leave, away from
離：丶亠ナ文卤卤离离离离劑劑劑劑離離

遠（ㄩㄢˇ；yuǎn）far
遠：一十土吉吉吉声声袁袁遠遠遠

近（ㄐㄧㄣˋ；jìn）near
近：一厂斤斤斤近近近

你家離學校遠不遠？
nǐ jia lí syué siào yuǎn bù yuǎn
　　jiā　　xué xiào
Is your house far away from the school?

我家離學校很遠。
wǒ jia lí syué siào hěn yuǎn
　　jiā　　xué xiào
My house is very far away from the school.

文具店離這裡遠嗎？
wún jyù diàn lí jhè lǐ yuǎn mǎ
wén jù　　　zhè　　　　ma
Is the stationer far from the school?

文具店離這裡很近。
wún jyù diàn lí jhè lǐ hěn jìn
wén jù　　　zhè
The stationer is quite near here.

你離開家多久了？
nǐ lí kai jia duo jiǒu lě
　　kāi jiā duō jiǔ le
How long have you been away from home?

我離開家快六年了。
wǒ lí kai jia kuài liòu nián lě
　　kāi jiā　　liù　　le
I have been away from home for almost six years.

路（ㄌㄨˋ；lù）road
路：丶口口口早早足足足趵趵路路

走路（ㄗㄡˇ ㄌㄨˋ；zǒu lù）to walk (on the road)

我喜歡走路。
wǒ sǐ huan zǒu lù
　　 xǐ huān
I like to walk.

我每天走路上學。
wǒ měi tian zǒu lù shàng syué
　　　　 tiān　　　　　　 xué
I walk to school everyday.

你住在什麼路？
nǐ jhù zài shé mě lù
　　 zhù　　　 me
What street do you live on?

我住在中山路。
wǒ jhù zài jhong shan lù
　　 zhù　　 zhōng shān
I live on Jhong-shan Road.

車（ㄔㄜ；che/chē）car
車：一 ㄏ ㅁ 戸 百 亘 車

開車（ㄎㄞ ㄔㄜ；kai che/kāi chē）drive car

你會開車嗎？
nǐ huèi kai che mǎ
　　 hùi kāi chē ma
Can you drive?

我開得很好。
wǒ kai dě hěn hǎo
　　 kāi de
I drive very well.

路上車子很多，千萬要小心。
lù shàng che zih hěn duo　 cian wàn yào siǎo sin
　　　　 chē zi　 duō　　 qiān　　　 xiǎo xīn
There are a lot of cars on the road. Please be careful.

好的，我慢慢開。
hǎo dě　　 wǒ màn màn kai
　 de　　　　　　　 kāi
All right. I will drive slowly.

 三 溫習 ㄒㄧˊ REVIEW

 甲：現在幾點了？

 乙：已經快六點半了。

甲：那我們來不及吃晚飯了。

乙：張先生家離我們家不遠。

甲：可是也不近。走路要二十多分鐘。

乙：開車去，只要十分鐘。

甲：要是開車去，六點五十走也來得及。

乙：是啊，所以不必急，慢慢來吧。

四　應用 EXTENDED PRACTICE

甲：李中家離我們家遠不遠？
Lǐ jhong jia lí wǒ mén jia yuǎn bù yuǎn
　　zhōng jiā　　　men jiā
Is Li Jhong's house far from our house?

乙：不遠，走路要二十分鐘，開車不到十分鐘。
bù yuǎn zǒu lù yào èr shíh fen jhong kai che bú dào shíh fen jhong
　　　　　　　　shí fēn zhōng kāi chē　　　shí fēn zhōng
Not far. It takes twenty minutes on foot and less than ten minutes by car.

甲：現在太晚了，走路來不及了，我們開車去吧。
siàn zài tài wǎn lě zǒu lù lái bù jí lě wǒ mén kai che cyù bǎ
xiàn　　　　　le　　　　　le　　men kāi chē qù ba
It's too late. We can't make it in time if we walk. Let's drive our car.

乙：好的，開車一定來得及。
hǎo dě kai che yí dìng lái dě jí
　　de kāi chē　　　　de
All right. We can make it on time by car.

甲：別開得太快。
bié kai dě tài kuài
　　kāi de
Don't drive too fast.

乙：好的，我慢慢開。
hǎo dě wǒ màn màn kai
　　de　　　　　kāi
OK. I'll drive slowly.

第十九課　讓你們久等了

Lesson 19　　　　　　　**Sorry to Keep You Waiting**

一　課文　TEXT

甲：請問張先生在家嗎？
cǐng wùn Jhang sian sheng zài jia mǎ
qǐng wèn Zhāng xiān shēng　　jiā ma
Excuse me, is Mr. Jhang at home?

乙：在，在，請問你們是⋯
zài　zài　cǐng wùn nǐ měn shìh
　　　　qǐng wèn　　men shì
Yes, he is.　Are you ....

甲：我叫林大中，這位是我太太。
wǒ jiào Lín dà jhong　jhè wèi shìh wǒ tài tǎi
　　　　　　zhōng　zhè　shì　　　tai
I am Lin Ta-jung. This is my wife.

乙：是林先生、林太太。歡迎，歡迎。
shìh Lín sian sheng　Lín tài tǎi　huan yíng　huan yíng
shì　xiān shēng　　　tai　huān　　huān
Come in please Mr. & Mrs. Lin.

甲：來麻煩你們了。
lái má fán nǐ měn lě
　　　　　men le
Sorry to bother you.

乙：那裡，請進，你們坐一會兒。
nǎ lǐ　cǐng jìn　nǐ měn zuò yì huěi er
　　　qǐng　　　men　　hǔi ēr

他馬上就回來。
ta mǎ shàng jiòu huéi lái
tā　　　jiù　húi
No bother at all. Come in and sit down for a minute.　He'll be back soon.

丙：對不起，讓你們久等了。
duèi bù cǐ　ràng nǐ měn jiǒu děng lě
dùi　qǐ　　　men jiǔ
Sorry to keep you waiting.

甲：那裡，我們剛到。
nǎ lǐ　wǒ měn gang dào
　　　　men gāng
Not at all. We just arrived.

丙：那麼我們開始畫畫吧。
nà mě wǒ měn kai shǐh huà huà bǎ
me　　men kāi shǐ　　　　ba
OK. Let's paint together.

二 字與詞　WORDS AND PHRASES

歡迎（ㄏㄨㄢ　ㄧㄥˊ；huan/huān yíng）Welcome
迎：ˊ ㄈ ㄠ ㄞ ㄞ ㄫ ㄫ 迎

有空的時候，歡迎你到我家來玩。
yǒu kòng dě shíh hòu　huan yíng nǐ dào wǒ jia lái wán
　　　　de shí　　huān　　　　　　　jiā
You are most welcome to come to our home when you have time.

李先生到處都很受歡迎。
Lǐ sian sheng dào chù dou hěn shòu huan yíng
　　xiān shēng　　　dōu　　　　huān
Mr. Li is welcome everywhere he goes.

麻煩（ㄇㄚˊ ㄈㄢˊ；má fán）bother, troublesome
麻：ˋ 一 广 广 庁 庁 麻 庲 庲 麻 麻
煩：ˋ ˊ 丬 火 灯 灯 灯 炌 炌 炌 煩 煩

這件事很麻煩。
jhè jiàn shìh hěn má fán
zhè　　shì
This is very troublesome.

我想麻煩你一件事。
wǒ siǎng má fán nǐ　yí jiàn shìh
　　xiǎng　　　　　　　shì
May I bother you with something?

做事情不能怕麻煩。
zuò shìh cíng bù néng pà má fán
zuò shì qíng
We must not fear troubles in our work.

進（ㄐㄧㄣˋ；jìn）enter, come in
進：ˊ 亻 彳 亻 亻 亻 佳 佳 谁 谁 進

這是我家，請進來坐坐。

jhè shìh wǒ jia　cǐng jìn lái zuò zuò
zhè shì　　jiā　qǐng

This is my house.　Please come in for a while.

今天不進去了，有空再來吧。

jin tian bú jìn cyù le　yǒu kòng zài lái ba
jīn tiān　　qù le　　　　　　ba

I can't come in today.　When I'm not busy, I'll stop by.

你準備進那所大學？

nǐ jhǔn bèi jìn nǎ suǒ dà syué
　zhǔn　　　　　　xué

Which university do you plan to enter?

坐（ㄗㄨㄛˋ；zuò）sit, take

坐：ノ ㇒ ㇒⺊ ㇒⺊⺊ ㇒⺊⺊丷 坐 坐

請坐。

cǐng zuò
qǐng

Please sit down

你坐什麼車來的？

nǐ zuò shé me che lái de
　　　　me chē　　de

What kind of transportation did you take to get here?

兒（儿ˊ；ér）child; a particle used after nouns, verbs, and adjectives, especially by Peking people.

兒：ノ ㇒ ㇒⺊ 臼 臼 臼 臼 兒

兒子

ér zih
　zi

son

女兒

nyǔ ér

daughter

一會兒

yì huěi er
　hǔi ēr

a little while

請等一會兒。

cǐng děng yì huěi er
qǐng　　　hǔi ēr

Please wait a while.

我出去一會兒。

wǒ chu cyù yì huěi er
　chū qù　　hǔi ēr

I'll go out for a while.

一點兒
yì diǎn er
　　ēr

a little

這件事有點兒麻煩。
jhè jiàn shìh yǒu diǎn er má fán
zhè　　shì　　　ēr
This matter is a little tough.

馬（ㄇㄚˇ；mǎ）horse
馬：一 厂 厂 厂 厍 厍 馬 馬 馬 馬 馬

馬車
mǎ che
　　chē
carriage

馬路
mǎ lù
road, horse trail

馬路上車子很多。
mǎ lù shàng che zih hěn duo
　　　　　chē zi　　　duō
There are a lot of cars on the road.

過馬路要小心。
guò mǎ lù yào siǎo sin
　　　　　　　xiǎo xīn
Be careful when you cross the street.

馬上
mǎ shàng
at once, right away

我出去一會兒，馬上回來。
wǒ chu cyù yì huěi er 　　mǎ shàng huéi lái
　　chū qù　　hǔi ēr　　　　　　　　　huí
I am going out. I'll be back right away.

回（ㄏㄨㄟˊ；huéi/húi）go back, return
回：一 冂 冂 冋 回 回

太晚了，我要回家了。
tài wǎn lě 　　wǒ yào huéi jia lě
　　　　le　　　　　　húi jiā le
It's too late. I want to go home.

時間不早了，我要回去了。
shíh jian bù zǎo lě 　　wǒ yào huéi cyù le
shí jiān　　　　le　　　　　　húi qù lě
It's late. I want to go back.

中英文版

讓（ㄖㄤˋ；ràng）let

讓：` ㆓ ㆓ ㆓ ㆓ 言 言 訁 訁 訁 訁 語 語 語 語 譁 譁 譁 譁 讓 讓 讓

讓我進來。
ràng wǒ jìn lái
Let me come in.

讓我來做這件事。
ràng wǒ lái zuò jhè jiàn shìh
　　　　　　　 zhè　　 shì
Let me do this.

別讓他等得太久。
bié ràng ta děng dě tài jiǒu
　　　　 tā　　 de　　 jiǔ
Don't make him wait too long.

等（ㄉㄥˇ；děng）wait

等：` ㆑ ㆑ ㆑ 竹 竹 竿 竿 笙 笙 等 等

等一等
děng yì děng
wait a moment

等一下
děng yí sià
　　　 xià
wait a while

等一會兒
děng yì huěi er
　　　 huǐ ēr
wait a minute; in a moment

你在等誰？
nǐ zài děng shéi
Who are you waiting for?

我在等王小姐。
wǒ zài děng Wáng siǎo jiě
　　　　　　 xiǎo
I'm waiting for Miss Wang.

王小姐出去了，她等一會兒就回來。
Wáng siǎo jiě chu cyù lě　 ta děng yì huěi er jiòu huéi lái
　　 xiǎo　　 chū qù le　 tā　　 hǔi ēr jiù húi
Miss Wang is out. She will be back in a moment.

好的，我再等一等。
hǎo dě　 wǒ zài děng yì děng
　 de
OK. I can wait a while.

剛（ㄍㄤ；gang/gāng）just

剛：｜ ㄇ ㄇ ㄇ ㄇ ㄇ ㄇ 岡 岡 岡 剛

剛才
gang cái
gāng
just a moment ago

剛剛
gang gang
gāng gāng
just now

剛好
gang hǎo
gāng
happen to, at the right moment

王小姐剛到美國來。
Wáng siǎo jiě gang dào měi guó lái
xiǎo gāng
Miss Wang just got to America.

這本書是剛買來的。
jhè běn shu shìh gang mǎi lái dě
zhè shū shì gāng de
I just bought this book.

剛才你到那裡去了？
gang cái nǐ dào nǎ lǐ cyù lě
gāng qù le
Where did you go just now?

我們剛才去買書。
wǒ měn gang cái cyù mǎi shu
men gāng qù shū
We just went to buy some books.

你們剛回來嗎？
nǐ měn gang huéi lái mǎ
men gāng húi ma
Did you just get back?

我們剛剛回來。
wǒ měn gang gang huéi lái
men gāng gāng húi
We just got back.

現在剛好六點。
siàn zài gang hǎo liòu diǎn
xiàn gāng lìu
It happens to be six o'clock now.

李小姐剛走了兩分鐘。
Lǐ siǎo jiě gang zǒu lě liǎng fen jhong
xiǎo gāng le fēn zhōng
Miss Li left for just two minutes.

三 溫習 REVIEW

 甲：請問張先生在家嗎？

 乙：在，在，請問你們是⋯

 甲：我叫林大中，這位是我太太。

 乙：是林先生、林太太。歡迎，歡迎。

 甲：來麻煩你們了。

 乙：那裡，請進，你們坐一會兒，他馬上就回來。

丙：對不起，讓你們久等了。

 甲：那裡，我們剛到。

 丙：我們現在就一塊兒來畫畫吧。

四 應用 EXTENDED PRACTICE

 甲：聽說你有很多畫，我想去看看。
ting shuo nǐ yǒu hěn duo huà　　wǒ siǎng cyù kàn kàn
tīng shuō　　　　　　 duō　　　　　xiǎng qù
I've heard that you own many paintings. May I take a look?

乙：好啊，隨時歡迎你到我家來。
hǎo a suéi shíh huan yíng nǐ dào wǒ jia lái
　　a súi shí huān 　　　　　　jiā
Of course. You are welcome to come over any time.

甲：明天下午你有空嗎？
míng tian sià wǔ nǐ yǒu kòng mǎ
　　tiān xià 　　　　　　ma
Will you be free tomorrow afternoon?

乙：有空。你兩點半來好嗎？
yǒu kòng nǐ liǎng diǎn bàn lái hǎo mǎ
　　　　　　　　　　　　　　ma
Yes, you can come over at half past two.

甲：會不會很麻煩你？
huèi bú huèi hěn má fán nǐ
hùi 　 hùi
Will I be bothering you?

乙：一點兒都不麻煩。
yì diǎn er dou bù má fán
　　　ēr dōu
Not at all.

甲：好，那麼明天下午見。
hǎo nà mě míng tian sià wǔ jiàn
　　　me 　　tiān xià
Good. Then I'll see you tomorrow afternoon.

甲：對不起，我來晚了。讓你久等了。
dùei bù cǐ wǒ lái wǎn lě ràng nǐ jiǒu děng le
dùi 　 qǐ 　　　　le 　　　jiǔ 　 le
I'm sorry to be late and keep you waiting.

乙：現在才剛剛兩點半，你來得剛好。
siàn zài cái gang gang liǎng diǎn bàn nǐ lái dě gang hǎo
xiàn 　　gāng gāng 　　　　　　　　　de gāng
It is exactly two-thirty. You come at the right moment.

甲：先坐一會兒，等一下再看畫吧。
sian zuò yì huěi er děng yí sià zài kàn huà bǎ
xiān 　　　hǔi ēr 　　　xià 　　　　　ba
Please sit down for a minute. We'll watch the paintings later.

乙：不用坐了，我們就一起看畫吧。
bú yòng zuò lě wǒ měn jiòu yì cǐ kàn huà bǎ
　　　　　le 　　men jiù 　 qǐ 　　　ba
I don't need a rest. Let's watch the paintings.

中英文版

第二十課　試試看
Lesson 20　　　Please Try

 課文　TEXT

 甲：你們想學什麼？
nǐ mèn siǎng syué shé me
　men xiǎng xué
What do you want to learn?

 乙：我們想學山水畫。
wǒ mèn siǎng syué shan shuěi huà
　men xiǎng xué shān shǔi
We would like to learn landscape painting.

 甲：我先畫一幅，你們看看。
wǒ sian huà yì fú　nǐ mèn kàn kàn
　xiān　　　　　　 men

樹在前頭，山在後頭，水裡畫幾塊石
shù zài cián tǒu　shan zài hòu tǒu　shuěi lǐ huà jǐ kuài shíh
　 qián tou　 shān　　　 tou　 shǔi　　　　　 shí

頭，天上再畫兩隻鳥，好了，不難吧？
tǒu　tian shàng zài huà liǎng jhih niǎo　hǎo lě　bù nán bǎ
tou　tiān　　　　　　　　zhī　　　　　 le　　　　ba

Let me show you how to do it. Watch carefully. The trees are in front. The mountain is behind them. Paint some rocks in the water and then paint two birds in the sky. Well, it's finished. That's not difficult, is it?

 乙：看起來不難，畫起來就不容易了。
kàn cǐ lái bù nán　huà cǐ lái jiòu bù róng yì lě
　 qǐ　　　　　　　　 qǐ　 jiù　　　　　　　 le
It looks easy, but it s not easy to paint.

 甲：來，你們試試看。
lái　 nǐ mèn shìh shìh kàn
　　　　 men shì shì
Come on. Give it a try.

二 字與詞 WORDS AND PHRASES

山（ㄕㄢ；shan/shān）mountain

山：丨 凵 山

一 座 山
yí zuò shan
　　　 shān
a mountain

這 座 山 很 高。
jhè zuò shan hěn gao
zhè 　　 shān 　 gāo
This mountain is very high.

水（ㄕㄨㄟˇ；shuěi/shǔi）water

水：丁 才 水 水

開 水
kai shuěi
kāi shǔi
boiling water

水 開 了。
shuěi kai lě
shǔi kāi le
The water is boiling.

河 裡 頭 水 很 大。
hé lǐ tǒu shuěi hěn dà
　　　 tou shǔi
There's a lot of water in the river.

我 喜 歡 山 水 畫。
wǒ sǐ huan shan shuěi huà
　 xǐ huān shān shǔi
I like Chinese landscape painting.

幅（ㄈㄨˊ；fú）a piece of (used as adjunct for pictures, scrolls etc.)

幅：丨 冂 巾 忄 忄 忄 忄 忄 幅 幅 幅

這 幅 畫 是 誰 畫 的？
jhè fú huà shìh shéi huà dè
zhè 　　　 shì 　　　 de
Who painted this picture?

這 幅 畫 是 張 大 千 畫 的。
jhè fú huà shìh Jhang dà cian huà dè
zhè 　　　 shì Zhāng 　 qiān 　 de
This painting was done by Jhang Da-cian.

樹（ㄕㄨˋ；shù）tree

樹：一 十 才 木 朩 朾 杜 杜 桔 桔 桔 桔 桔 桂 樹 樹

山上有很多樹。
shan shàng yǒu hěn duo shù
shān duō
There are many trees on the mountain.

這棵松樹很高。
jhè ke song shù hěn gao
zhè kē sōng gāo
This pine tree is very tall.

我家後面有棵大樹。
wǒ jia hòu miàn yǒu ke dà shù
jiā kē
There is a big tree behind my house.

河旁邊有很多樹。
hé páng bian yǒu hěn duo shù
biān duō
There are many trees by the river.

石（ㄕˊ；shíh/shí）rock, stone

石：一 丆 不 石 石

石頭
shíh tóu
shí tou
rock, stone

鳥（ㄋㄧㄠˇ；niǎo）bird

鳥：′ 亻 户 户 户 自 鳥 鳥 鳥 鳥 鳥

隻（ㄓ；jhih/zhī）a classifier for describing nouns like birds, dogs, etc.

隻：丿 亻 亻 亻 仹 仹 佯 隹 隻 隻

一隻鳥
yì jhih niǎo
zhī
a bird

樹上有好幾隻鳥。
shù shàng yǒu hǎo jǐ jhih niǎo
zhī
There are many birds in the tree.

難（ㄋㄢˊ；nán）difficult, hard

難：一 十 廾 廾 廿 苎 苎 苎 茣 茣 英 茣 莫 莫 莫 糞 難 難 難

難看（ㄋㄢˊ ㄎㄢˋ；nán kàn）ugly, not pleasant to look at

難過（ㄋㄢˊ ㄍㄨㄛˋ；nán guò）sorry, sad

學 中 文 難 不 難 ？
syué jhong wún nán bù nán
xué zhōng wén

Is it hard to learn Chinese?

學 中 文 不 難 。
syué jhong wún bù nán
xué zhōng wén

It's not hard to learn Chinese.

只 要 多 練 習 就 不 難 學 好 。
jhǐh yào duo liàn sí jiòu bù nán syué hǎo
zhǐ duō xí jiù xué

If you practice a lot, it's not difficult.

我 畫 的 畫 很 難 看 。
wǒ huà dě huà hěn nán kàn
de

My painting is very unattractive.

你 這 麼 說 ， 我 很 難 過 。
nǐ jhè mě shuo wǒ hěn nán guò
zhè me shuō

I am sorry to hear that.

容易（ㄖㄨㄥˊ ㄧˋ；róng yì）easy, easily

容： 丶 宀 宀 宀 宀 宀 突 突 容 容

易： 一 冂 日 日 旦 易 易 易

簡 單 的 歌 容 易 唱 。
jiǎn dan dě ge róng yì chàng
dān de gē

Simple songs are easy to sing.

說 話 容 易 ， 做 事 難 。
shuo huà róng yì zuò shìh nán
shuō shì

It's easy to say, but difficult to do.

華 語 很 容 易 學 ， 可 是 中 文 不 容 易 寫 。
huá yǔ hěn róng yì syué kě shìh jhong wún bù róng yì siě
xué shì zhōng wén xiě

It's easy to speak Chinese, but it's not easy to write Chinese characters.

試（ㄕˋ；shìh/shì）try

試： 丶 言 言 言 言 言 言 訂 訏 計 試 試

考試
kǎo shìh
　　　shì
test, examination

試試看，好不好吃？
shìh shìh kàn 　　hǎo bù hǎo chih
shì 　shì 　　　　　　　　　　 chī
Taste it. Is it good?

試試看這枝筆怎麼樣。
shìh shìh kàn jhè jhih bǐ zěn mě yàng
shì 　shì 　　zhè zhī 　　　　me
Try this pen to see how it works.

學生最怕考試。
syué sheng zuèi pà 　kǎo shìh
xué shēng zùi 　　　　　　 shì
Students are afraid of examinations.

 三　溫習　REVIEW

 甲：你們想學什麼？

 乙：我們想學山水畫。

 甲：我先畫一幅，你們看看。樹在前頭，山在後頭，
　　　水裡頭畫幾塊石頭，天上再畫兩隻鳥，好了，不難吧？

 乙：看起來不難，畫起來就不容易了。

 甲：來，你們試試看。

四 應用 EXTENDED PRACTICE

甲：這幅畫是誰畫的？
jhè fú huà shìh shéi huà dě
zhè shì de
Who painted this picture?

乙：這是我畫的，畫得不好。
jhè shìh wǒ huà dě huà dě bù hǎo
zhè shì de de
I did. It's not very good.

甲：那裡，你畫得很好。遠山、近樹都畫得很好。
nǎ lǐ nǐ huà dě hěn hǎo yuǎn shan jìn shù dou huà dě hěn hǎo
de shān dōu de

要是樹下再畫一個人，那就更有意思了。
yào shìh shù sià zài huà yí gě rén nà jiòu gèng yǒu yì sih lě
shì xià ge jiù si le

That's not true. You did well. The mountain in the distance and the trees in the foreground are all well done. If you paint a man under the tree, it will be even better.

乙：我覺得人很難畫。
wǒ jyué dě rén hěn nán huà
jué de
I find it hard to paint human figures.

甲：你可以畫簡單一點兒啊！
nǐ kě yǐ huà jiǎn dan yì diǎn er ǎ
dān ēr a
You can do it in the simple way.

乙：你畫一個人給我看看好嗎？
nǐ huà yí gě rén gěi wǒ kàn kàn hǎo mǎ
ge ma
Will you show me how to do it?

甲：我也畫得不好，不過可以試試看。
wǒ yě huà dě bù hǎo bú guò kě yǐ shìh shìh kàn
de shì shì
I am not very good at it either, but I'll give it a try.

第二十一課　打電話
Lesson 21　　　Make A Telephone Call

一　課文　TEXT

李小姐：請問王先生在嗎？
Lǐ siǎo jiě　cǐng wùn Wáng sian sheng zài mǎ
　　　　xiǎo　 qǐng wèn　 xiān shēng　　ma
Miss Li: Is Mr. Wang in?

王太太：在，請你等一下，世平，你的電話。
Wáng tài tǎi　zài　cǐng nǐ děng yí sià　shìh píng　nǐ dě diàn huà
　　　tai　　　　qǐng　　　 xià　shì　　　　de
Mrs. Wang: Yes. Wait a moment please. Shih-ping, it's for you.

王先生：誰打來的？
Wáng sian sheng　shéi dǎ lái dě
　　xiān shēng　　　　　　de
Mr. Wang: Who is it?

王太太：不知道，是位小姐呢！
Wáng tài tǎi　bù jhih dào　shìh wèi siǎo jiě ně
　　　tai　　　 zhī　　　shì　　xiǎo　ne
Mrs. Wang: I don't know. It s a lady.

王先生：喂，我是王世平。
Wáng sian sheng　wèi　wǒ shìh Wáng shìh píng
　　xiān shēng　　　　　shì　　　shì
Mr. Wang: Hello. This is Wang Shih-ping speaking.

李小姐：王先生，您好。我是李玉梅。
Lǐ siǎo jiě Wáng sian sheng nín hǎo wǒ shìh Lǐ yù méi
xiǎo xiān shēng shì

我明天有事不能去上班，想打個電話給
wǒ míng tian yǒu shìh bù néng cyù shàng ban siǎng dǎ gè diàn huà gěi
tiān shì qù bān xiǎng ge

老闆，你知道他的電話號碼嗎？
lǎo bǎn nǐ jhīh dào ta dě diàn huà hào mǎ mǎ
zhī tā de ma

Miss Li: How are you, Mr. Wang. This is Li Yu-mei. I can't go to work tomorrow. I would like to call the boss. Do you know his telephone number?

王先生：請等一下，我查一查。好，查到了，
Wáng sian sheng cǐng děng yí sià wǒ chá yì chá hǎo chá dào lě
xiān shēng qǐng xià le

他的電話號碼是 3 6 4 8 9 2 1 。
ta dě diàn huà hào mǎ shìh san liòu sìh ba jiǒu èr yi
tā de shì sān lìu sì bā jiǔ yī

Mr. Wang: Wait a moment. Let me check. Yes, here it is. His phone number is 3 6 4 8 9 2 1 .

李小姐：3 6 4 8 9 2 1 。謝謝你。
Lǐ siǎo jiě san liòu sìh ba jiǒu èr yi siè siě nǐ
xiǎo sān lìu sì bā jiǔ yī xiè xie nǐ

Miss Li: 364-8921. Thanks a lot.

王先生：那裡，再見。
Wáng sian sheng nǎ lǐ zài jiàn
xiān shēng

Mr. Wang: Don't mention it. Bye-bye.

李小姐：再見。
Lǐ siǎo jiě zài jiàn
xiǎo

Miss Li: Good-bye.

王先生（對太太）：是我的同事，放心，不是女朋友。
Wáng sian sheng duèi tài tǎi shìh wǒ dě tóng shìh fàng sin bú shìh nyǔ péng yǒu
xiān shēng dùi tai shì de shì xīn shì

Mr. Wang (to Mrs. Wang): She's my colleague. Not my girlfriend. Don't worry.

二 字與詞 WORDS AND PHRASES

打（ㄅㄚˇ；dǎ）beat, hit, do, make play

打：一 十 扌 扩 打

打電話
dǎ diàn huà
make a telephone call

打字
dǎ zìh
zì
to type

打球
dǎ cióu
qíu
play with a ball

打人
dǎ rén
to hit a person

電（ㄉㄧㄢˋ；diàn）electricity, electric

電：一 ［ ㄏ ㄇ 雷 雷 雷 雷 雷 雷 雪 雪 雪 電

電話
diàn huà
telephone

電燈
diàn deng
dēng
electric light

電視
diàn shìh
shì
television

電影
diàn yǐng
movie

電腦
diàn nǎo
computer

玉（ㄩˋ；yù）jade

玉：一 二 ㄒ 王 玉

李玉梅
Lǐ yù méi
Li Yu-mei

班（ㄅㄢ；ban/bān）a class, a company

班： 一 二 干 王 王 玛 玩 班 班

上班
shàng ban
　　　bān
go to work

下班
sià ban
xià bān
leave work

在學校我們同班。
zài syué siào wǒ mén tóng ban
　　xué xiào 　　men 　　bān
We are in the same class at school.

老闆（ㄌㄠˇ ㄅㄢˇ；lǎo bǎn）boss

闆： 丨 丨 丨 丨 丨 門 門 門 門 問 問 問 問 問 闆 闆

碼（ㄇㄚˇ；mǎ）code

碼： 一 丆 丆 石 石 矴 矴 矴 碎 碼 碼 碼 碼 碼

號碼
hào mǎ
number

電話號碼
diàn huà hào mǎ
telephone number

起碼
cǐ mǎ
qǐ
at least

密碼
mì mǎ
a secret code

查（ㄔㄚˊ；chá）check, look into, find

查： 一 十 才 木 木 杏 杏 杳 查

要是有不認識的字，可以查字典。

yào shìh yǒu bú rèn shìh dě zìh kě yǐ chá zìh diǎn
shì shì de zì zì

If you run into words you don t know, check them in the dictionary.

要是忘了電話號碼，可以查電話簿。

yào shìh wàng lě diàn huà hào mǎ kě yǐ chá diàn huà bù
shì le

If you happen to forget telephone numbers, you can look in the telephone book.

要是用電腦查東西就快多了。

yào shìh yòng diàn nǎo chá dong si jiòu kuài duo lě
shì dōng xi jiù duō le

It's more efficient to look for information by computer.

朋友（ㄆㄥ／ㄧㄡˇ；péng yǒu）friend

朋：ㄐ 刀 月 月 刖 刖 朋 朋 朋

友：一 ナ 方 友

他是我的好朋友。

ta shìh wǒ dě hǎo péng yǒu
tā shì de

He is my good friend.

他跟張先生是好朋友。

ta gen Jhang sian sheng shìh hǎo péng yǒu
tā gēn Zhāng xiān shēng shì

He and Mr. Jhang are good friends.

小李有女朋友了。

siǎo Lǐ yǒu nyǔ péng yǒu lě
xiǎo le

Li has a girl friend.

王小姐有男朋友了。

Wáng siǎo jiě yǒu nán péng yǒu lě
xiǎo le

Miss Wang has a boy friend.

放（ㄈㄤˋ；fàng）let, release, put

放：ㄟ ᆢ ㇲ 方 方 方 放 放

放學

fàng syué
xué

to return home from school

放假

fàng jià

to have a holiday

放心
fàng sin
　　xīn
to be free from anxiety

你的文具放在那裡？
nǐ dě wún jyù fàng zài nǎ lǐ
　 de wén jù
Where is your stationery?

我放在桌子上。
wǒ fàng zài jhuo zih shàng
　　　　 zhuō zi
It's on my desk.

心（ㄒㄧㄣ；sin/xīn）mind, heart

心：丶 心 心 心

聽他這麼說，我心裡很高興。
ting ta jhè mě shuo　 wǒ sin lǐ hěn gao sìng
tīng tā zhè me shuō　　 xīn　　　 gāo xìng
After hearing what he said, I am very happy.

小心
siǎo sin
xiǎo xīn
be careful

粗心
cu sin
cū xīn
careless

關心
guan sin
guān xīn
care about

放心
fàng sin
　　xīn
free from anxiety

我開車很小心，你放心吧！
wǒ kai che hěn siǎo sin　 nǐ fàng sin bǎ
　 kāi chē　　 xiǎo xīn　　　 xīn ba
I drive very carefully. Don't worry.

三 溫習 REVIEW

 李小姐：請問王先生在嗎？

 王太太：在，請你等一下，世平，你的電話。

 王先生：誰打來的？

 王太太：不知道，是位小姐呢！

 王先生：喂，我是王世平。

 李小姐：王先生，您好。我是李玉梅。我明天有事，不能去上班，想打個電話給老闆，你知道他家的電話號碼嗎？

 王先生：請等一下，我查一查。好，查到了，他的電話號碼是３６４８９２１。

 李小姐：３６４８９２１。謝謝你。

 王先生：那裡，再見。

 李小姐：再見。

 王先生（對太太）：是我的同事，放心，不是女朋友。

四 應用 EXTENDED PRACTICE

甲：你要給誰打電話？
nǐ yào gěi shéi dǎ diàn huà
Who are you calling?

乙：我要給老闆打電話，你知道
wǒ yào gěi lǎo bǎn dǎ diàn huà　　nǐ jhih dào
zhī

他的電話號碼嗎？
ta dě diàn huà hào mǎ mǎ
tā de　　　　　　　　ma
I'm calling my boss. Do you know
his telephone number?

甲：你等一下，我幫你查一查。
nǐ děng yí sià　　wǒ bang nǐ chá yì chá
xià　　　　　bāng
Wait a moment. Let me check for you.

乙：不用查了，我想起來了。
bú yòng chá lě　　wǒ siǎng cǐ lái lě
le　　　　xiǎng qǐ　　le
Don't bother. I remember it.

甲：你打電話給他有事嗎？
nǐ dǎ diàn huà gěi ta yǒu shìh mǎ
tā　　shì ma
Why are you calling him?

乙：有件事要跟他商量一下。
yǒu jiàn shìh yào gen ta shang liáng yí sià
shì　　　gēn tā shāng　　　　xià
There's one thing I have to discuss with him.

甲：下了班還商量公事，方便嗎？
sià lě ban hái shang liáng gong shìh　　fang biàn mǎ
xià le bān　　shāng　　gōng shì　　fāng　　ma
Is it convenient to discuss business after work?

乙：放心，是件簡單的事。
fàng sin　　shìh jiàn jiǎn dan dě shìh
fàng xīn　　shì　　　dān de shì
Don't worry. They are simple matters.

中英文版

第二十二課　等他回話
Lesson 22　Waiting for Him to Call Back

一　課文　TEXT

林先生：喂，我是林大中，請問王先生在嗎？
Lín sian sheng　wèi　wǒ shìh Lín dà jhong　cǐng wùn Wáng sian sheng zài mǎ
　　xiān shēng　　　　shì　　zhōng　qǐng wèn　xiān shēng　　ma

Mr. Lin: Hello, this is Lin Da-jhong. Is Mr. Wang in?

王太太：對不起，他不在，我是他太太。
Wáng tài tài　duèi bù cǐ　ta bú zài　wǒ shìh ta tài tài
　　　　tai　　dùi　　qǐ　tā　　　　shì tā　　tai

請問有什麼事嗎？
cǐng wùn yǒu shé me shìh mǎ
qǐng wèn　　me shì ma

Mrs. Wang: I'm sorry, he s not in. I am his wife. May I ask what you are calling about?

林先生：王太太，你好。是這樣的，
Lín sian sheng　Wáng tài tài　nǐ hǎo　shìh jhè yàng dě
　　xiān shēng　　　　　tai　　　　　　shì zhè　　de

因為有位同學從台北來，
yin　wèi yǒu wèi tóng syué cóng tái běi lái
yīn　　　　　　　xué

所以我請了幾位朋友，明天晚上
suǒ yǐ wǒ cǐng lě jǐ wèi péng yǒu　míng tian wǎn shàng
　　yǐ　　qǐng le　　　　　　　　　tiān

六點鐘，在梅花飯店吃飯，
liòu diǎn jhong　zài méi hua fàn diàn chih fàn
lìu　　zhōng　　　　huā　　　chī

不知道王先生能不能來？
bù jhih dào Wáng sian sheng néng bù néng lái
　zhī　　　　xiān shēng

Mr. Lin: How are you Mrs. Wang? The fact is that an old classmate came all the way from Taipei, so I am inviting some friends to a dinner at the Plum Restaurant tomorrow evening at six. I wonder if Mr. Wang could join us?

王太太： 應 該 沒 有 問 題 ， 不 過 還 是 得 問 問 他 。
Wáng tài tǎi　 ying gai méi yǒu wùn tí　 bú guò hái shìh děi wùn wùn ta
　　　　tai　 yīng gāi　 wèn　　 shì　 wèn wèn tā

請 你 留 個 電 話 號 碼 ， 好 嗎 ？
cǐng nǐ lióu gè diàn huà hào mǎ　 hǎo mǎ
qǐng　 líu ge　　　　　 ma

Mrs. Wang: There shouldn't be any problem, but I should still ask him about it when he gets back. Could you please leave your telephone number?

林先生： 我 的 電 話 是 7 2 1 4 3 8 5 。
Lín sian sheng　 wǒ dě diàn huà shìh ci èr yi sìh san ba wǔ
　　xiān shēng　 de　 shì qi　 yī sì sān bā

Mr. Lin: My number is 721-4385.

王太太： 好 的 ， 等 他 回 來 我 會 告 訴 他 ，
Wáng tài tǎi　 hǎo dě　 děng ta huéi lái wǒ huèi gào sù ta
　　　　tai　　 de　　 tā húi　 hùi　　 tā

請 他 回 你 的 電 話 。
cǐng ta huéi nǐ dě diàn huà
qǐng tā húi　 de

Mrs. Wang: OK, I'll tell him to call you back when he returns.

林先生： 謝 謝 你 ， 我 等 他 回 話 。
Lín sian sheng　 siè siě nǐ　 wǒ děng ta huéi huà
　　xiān shēng　 xiè xiè　　 tā húi

Mr. Lin: Thanks a lot. I'll wait for him to call back.

二　字與詞　WORDS AND PHRASES

內（ㄋㄟˋ；nèi）in, inside

內：丨冂内内

內人
nèi rén
my wife

內容
nèi róng
content

這 本 書 的 內 容 很 好 。
jhè běn shu dě nèi róng hěn hǎo
zhè　 shū de

The content of this book is good.

那 本 書 沒 什 麼 內 容 。
nà běn shu méi shé mě nèi róng
　　 shū　 me

That book doesn't have much content.

台（臺）（ㄊㄞˊ；tái）platform, terrace

台：ㄥ ㄙ 台 台 台

臺：一 十 壮 吉 吉 吉 吉 高 高 臺 臺 臺 臺 臺

講台
jiǎng tái
lecture platform

台灣
tái wan
    wān
Taiwan

台北
tái běi
Taipei

因（一ㄣ；yin/yīn）cause

因：丨 冂 冂 冈 因 因

原因
yuán yin
    yīn
cause

因為
yin wèi
yīn
because

因為…所以
yin wèi   suǒ yǐ
yīn
because (so)

因為我很忙，所以我很累。
yin wèi wǒ hěn máng suǒ yǐ wǒ hěn lèi
yīn
Because I am very busy, I am tired.

因為他很聰明，所以學得很快。
yin wèi ta hěn cong míng suǒ yǐ syué dě hěn kuài
yīn   tā   cōng   xué de
Because he is intelligent, he learns very fast.

因為太晚了，所以我要回家了。
yin wèi tài wǎn lě suǒ yǐ wǒ yào huéi jia lě
yīn   le   húi jiā le
Because it is late, I want to go home.

問（ㄨㄣˋ；wùn/wèn）ask

問：丨 冂 冂 門 門 門 門 門 門 問 問 問

他問你什麼？

ta　wùn　nǐ　shé　mě
tā　wèn　　　　me

What did he ask you?

他問我老闆的電話號碼。

ta　wùn　wǒ　lǎo　bǎn　dě　diàn　huà　hào　mǎ
tā　wèn　　　　　　de

He asked me about the telephone number of my boss.

請問書店在那兒？

cǐng　wùn　shu　diàn　zài　nǎ　er
qǐng　wèn　shū　　　　　ēr

May I ask where the bookstore is?

問題（ㄨㄣˋ ㄊㄧˊ；wùn/wèn tí）question, problem

題：ㄧ ㄇ ㄇ ㄖ ㄖ ㄖ ㄖ 是 是 是 題 題 題 題 題 題

這個問題不容易回答。

jhè　gě　wùn　tí　bù　róng　yì　huéi　dá
zhè　ge　wèn　　　　　　húi

This question is not easy to answer.

留（ㄌㄧㄡˊ；lióu/líu）stay, leave, take care

留：ㄧ ㄈ ㄈ 卯 卯 卯 卯 留 留 留

請你留個電話號碼。

cǐng　nǐ　lióu　gě　diàn　huà　hào　mǎ
qǐng　　líu　ge

Please leave your telephone number.

請你留下地址。

cǐng　nǐ　lióu　sià　dì　jhǐh
qǐng　　líu　xià　　zhǐ

Please leave your address.

請你留意這件事。

cǐng　nǐ　lióu　yì　jhè　jiàn　shìh
qǐng　　líu　　zhè　　shì

Please take care of this matter.

過（ㄍㄨㄛˋ；guò）past, over

過：ㄧ ㄇ ㄇ ㄇ ㄇ 咼 咼 咼 咼 咼 過 過 過

現在是九點過五分。

siàn　zài　shìh　jiǒu　diǎn　guò　wǔ　fen
xiàn　　shì　jiǔ　　　　　fēn

It's now five past nine.

我沒看過這本書。
wǒ méi kàn guò jhè běn shu
　　　　　　zhè　　shū
I haven't read this book yet.

我沒去過台北。
wǒ méi cyù guò tái běi
　　　qù
I have never been to Taipei.

我會說中文。
wǒ huèi shuo jhong wún
　　hùi　shuō zhōng wén
I can speak Chinese.

 三 溫習 REVIEW

 林先生：喂，我是林大中，請問王先生在嗎？

 王太太：對不起，他不在，我是他太太。請問有什麼事嗎？

 林先生：王太太，你好。是這樣的，因為有位老同學從台北來，所以我請了幾位朋友明天晚上在梅花飯店吃飯，不知道王先生能不能來？

 王太太：應該沒有問題，不過還得問問他。請你留個電話號碼，好嗎？

 林先生：我的電話是７２１４３８５。

 王太太：他一回來，就給你回話。

 林先生：謝謝你，我等他回話。

◇ 四 應用 EXTENDED PRACTICE

甲：你看過這本書嗎？
nǐ kàn guò jhè běn shu mǎ
　　　　　 zhè　　shū ma
Have you read this book?

乙：我看過。
wǒ kàn guò
Yes, I have.

甲：這本書有內容嗎？
jhè běn shu yǒu nèi róng mǎ
zhè　　shū　　　　　　ma
Is the content interesting?

乙：這本書很有意思，你一定會喜歡。
jhè běn shu hěn yǒu yì sih　　nǐ yí dìng huèi sǐ huan
zhè　　shū　　　　　si　　　　　　hùi xǐ huān
It's very interesting. You will like it.

甲：不過我的中文不好，所以可能會有很多問題。
bú guò wǒ dě jhong wún bù hǎo　　suǒ yǐ kě néng huèi yǒu hěn duo wùn tí
　　　　de zhōng wén　　　　　　　　　　　　　hùi　　　　　duō wèn
But my Chinese is not good, so I may have a lot of questions.

乙：沒關係，你有問題可以隨時打電話給我。
méi guan sì　　nǐ yǒu wùn tí kě yǐ suéi shíh dǎ diàn huà gěi wǒ
　　guān xì　　　　　wèn　　　　　súi shí
That's all right. If you have questions, you can call me any time.

甲：你的電話號碼是幾號？
nǐ dě diàn huà hào mǎ shìh jǐ hào
　　de　　　　　　　　shì
What's your telephone number?

乙：6 3 4 2 1 9 5，不過星期天別給我
liòu san sìh èr yi jiǒu wǔ　　bú guò sing cí tian bié gěi wǒ
lìu sān sì　　yī jǐu　　　　　　　xīng qí tiān

打電話，因為我要去找我的女朋友。
dǎ diàn huà　　yin wèi wǒ yào cyù jhǎo wǒ dě nyǔ péng yǒu
　　　　　　　yīn　　　　　　qù zhǎo　　de
634-2195. But don't call me on Sunday, because I want to go see my girl friend.

第二十三課　怎麼打不通呢？
Lesson 23　Why Can't I Get Through?

 一　課文　TEXT

 王先生：怎麼 打不通 呢？
Wáng sian sheng　zěn mě dǎ bù tong ně
　　xiān shēng　　me　　　tōng ne

Mr. Wang: Why can't I get through?

 王太太：是 在 講 話 中 嗎？
Wáng tài tǎi　shìh zài jiǎng huà jhong mǎ
　　tai　shì　　　　　zhōng ma

Mrs. Wang: Is it because someone's on the line?

 王先生：不是。
Wáng sian sheng　bú shìh
　　xiān shēng　　shì

Mr. Wang: No.

 王太太：是電話壞了嗎？
Wáng tài tǎi　shìh diàn huà huài lě mǎ
　　tai　shì　　　　　le ma

Mrs. Wang: Maybe the telephone isn't working.

 王先生：也不是，是沒人接。
Wáng sian sheng　yě bú shìh　shìh méi rén jie
　　xiān shēng　　shì　　shì　　jiē

會不會是電話號碼錯了？
huèi bú huèi shìh diàn huà hào mǎ cuò lě
　hùi　hùi shì　　　　　　　　le

Mr. Wang: No, no one is at home. Could it be that you've got the wrong number?

 王太太：應該不會。
Wáng tài tǎi　ying gai bú huèi
　　tai　yīng gāi　hùi

Mrs. Wang: It shouldn't.

王先生：那麼我再試試看。
Wáng sian sheng　nà mě wǒ zài shìh shìh kàn
　　xiān shēng　　me　　　shì shì

Mr. Wang: I'll try one more time.

林先生：喂！
Lín sian sheng　wèi
　xiān shēng

Mr. Lin: Hello!

王先生：是大中嗎？我是世平啊，
Wáng sian sheng　shìh dà jhong mǎ　wǒ shìh shìh píng ǎ
　xiān shēng　shì　zhōng ma　　shì shì　　a

怎麼剛才沒人接電話？
zěn mě gang cái méi rén jie diàn huà
　me gāng　　　　jiē

Mr. Wang: Is this Da-jhong? This is Shih-ping. Why didn't anybody answer the phone just now?

林先生：剛才我在洗手間，一聽見電話鈴聲，
Lín sian sheng　gang cái wǒ zài sǐ shǒu jian　yì ting jiàn diàn huà líng sheng
　xiān shēng　gāng　　　xǐ　jiān　　tīng　　　　shēng

就趕快出來，可是你已經掛斷了。
jiòu gǎn kuài chu lái　kě shìh nǐ yǐ jing guà duàn lě
　　　　chū　　　shì　　yǐ jīng　　　le

Mr. Lin: I was in the bathroom. I hurried to answer the phone when it rang, but you hung up.

王先生：對不起，對不起，我是要告訴你
Wáng sian sheng　duèi bù cǐ　duèi bù cǐ　wǒ shìh yào gào sù nǐ
　xiān shēng　dùi　qǐ　dùi　qǐ　　shì

我明天準時到。
wǒ míng tian jhǔn shíh dào
　　tiān zhǔn shí

Mr. Wang: I'm sorry. I just wanted to tell you that I'll be there on time tomorrow.

 字與詞　WORDS AND PHRASES

通（ㄊㄨㄥ；tong/tōng）through, reach, lead

通：　　　　　　甬　甬　涌　涌　通

電話通了嗎？
diàn huà tong lě mǎ
　　　tōng le ma

Does the phone work? Can you get through?

電話還沒通。
diàn huà hái méi tong
　　　　　tōng

The telephone doesn't work.

這條路通到那裡？
jhè tiáo lù tong dào nǎ lǐ
zhè　　　tōng

Where does this road lead to ?

通過
tong guò
tōng
pass through

通知
tong jhih
tōng zhī
notify

通常
tong cháng
tōng
usually

講（ㄐㄧㄤ∨；jiǎng）talk, speak, say

講：　丶　一　ゝ　ゝ　言　言　言　言　言　訁　講　講　講　講　講　講

他跟你講了什麼？
ta gen nǐ jiǎng lě shé mě
tā gēn le me
What did he say to you?

上課的時候別講話。
shàng kè dě shíh hòu bié jiǎng huà
de shí
Don't talk in class.

老師在講台上講課。
lǎo shih zài jiǎng tái shàng jiǎng kè
shī
The teacher is lecturing on the platform.

壞（ㄏㄨㄞˋ；huài）bad, rotten

壞：　一　十　土　圹　圹　圹　坤　坤　坤　坤　坤　壞　壞　壞　壞　壞

那個人常做壞事，所以，是個壞人。
nà gě rén cháng zuò huài shìh suǒ yǐ shìh gě huài rén
ge shì shì ge
He always does bad things. Therefore, he is a bad man.

別吃壞的東西。
bié chih huài dě dong si
chī de dōng xi
Don't eat rotten food.

電話壞了。
diàn huà huài lě
le
The telephone is out of order.

接（ㄐㄧㄝ；jie/jiē）take, receive, continue

接：　一　十　扌　扌　扩　扩　护　护　按　按　接

沒人接電話。
méi rén jie diàn huà
　　　　jiē
Nobody answered the phone.

李先生剛說完，張先生又接著說。
Lǐ sian sheng gang shuo wán　　Jhang sian sheng yòu jie jhě shuo
　　xiān shēng gāng shuō　　Zhāng xiān shēng　　jiē zhe shuo
As soon as Mr. Li finished talking, Mr. Jhang continued to speak.

錯（ㄘㄨㄛˋ；cuò）wrong.

錯：ノ ㇒ ㇏ ㇒ 牟 牟 牟 金 釒 釒 釒 釒 釒 錯 錯 錯

這個字寫錯了嗎？
jhè gě zìh siě cuò lě mǎ
zhè ge zì xiě　　le ma
Is this word written wrongly?

這件事做錯了嗎？
jhè jiàn shìh zuò cuò lě mǎ
zhè　　shì　　le ma
Is this wrong?

這本書寫得不錯。
jhè běn shu siě dě bú cuò
zhè　　shū xiě de
This book is not bad.

洗（ㄒㄧˇ；sǐ/xǐ）wash

洗：丶 ㇀ 氵 ㇒ 汇 洗 洗 洗 洗

洗手
sǐ shǒu
xǐ
wash hands

洗臉
sǐ liǎn
xǐ
wash face

洗車
sǐ che
xǐ chē
wash a car

洗衣服
sǐ yi fú
xǐ yī
wash clothes

手（ㄕㄡˇ；shǒu）hand

手：㇒ 二 三 手

每個人有兩隻手。
měi gě rén yǒu liǎng jhih shǒu
ge　　　　　zhī
Everyone has two hands.

他的手裡有一枝筆。
ta dě shǒu lǐ yǒu yì jhih bǐ
tā de　　　　　　zhī
There is a pen in his hand.

洗手間
sǐ shǒu jian
xǐ　　jiān
bathroom, restroom

他喜歡在洗手間唱歌。
ta sǐ huan zài sǐ shǒu jian chàng ge
tā xǐ huān　xǐ　jiān　　　gē
He likes to sing in the bathroom.

請問洗手間在那裡？
cǐng wùn sǐ shǒu jian zài nǎ lǐ
qǐng wèn xǐ　jiān
Where is the restroom?

聽（ㄊㄧㄥ；ting/tīng）listen, hear

聽：一 丆 丆 丆 耳 耳 耳 耳 耵 耵 耵 聄 聴 聴 聴 聽 聽 聽 聽

你有沒有聽見什麼事？
nǐ yǒu méi yǒu ting jiàn shé mě shìh
　　　　　　tīng　　me shì
Have you heard anything?

你聽見鈴聲了嗎？
nǐ ting jiàn líng sheng lě mǎ
　　tīng　　shēng le ma
Have you heard the bell?

你喜歡聽什麼歌？
nǐ sǐ huan ting shé mě ge
　xǐ huān tīng　me gē
What songs do you like to listen to?

這首歌很好聽。
jhè shǒu ge hěn hǎo ting
zhè　　gē　　　tīng
This song sounds pleasant.

鈴（ㄌㄧㄥˊ；líng）bell

鈴：ノ 广 ᄼ ᄼ 全 余 金 金 釒 鈴 鈴 鈴

電鈴
diàn líng
electric bell

門鈴
mén líng
door bell

聲 （ㄕㄥ；sheng/shēng） sound
聲： 一 十 士 吉 吉 吉 声 声 殸 殸 殸 殸 殸 殸 聲 聲 聲

聲音
sheng yin
shēng yīn
sound

這是什麼聲音？
jhè shìh shé mě sheng yin
zhè shì me shēng yīn
What sound is this?

這是門鈴的聲音。
jhè shìh mén líng dě sheng yin
zhè shì de shēng yīn
This is the sound of a door bell.

趕 （ㄍㄢˇ；gǎn） pursue, catch up
趕： 一 十 土 キ キ 走 走 走 起 起 起 趕 趕 趕

趕快
gǎn kuài
hurry

趕緊
gǎn jǐn
quickly

我沒趕上那班車。
wǒ méi gǎn shàng nà ban che
bān chē
I didn't catch the train.

掛 （ㄍㄨㄚˋ；guà） hang
掛： 一 十 扌 扌 扩 护 扗 排 掛 掛

把畫掛起來。
bǎ huà guà cǐ lái
qǐ
Hang the painting up.

斷 （ㄉㄨㄢˋ；duàn） cut, break
斷： ' ‘ ‘ ‘ ‘ 丝 丝 丝 丝 丝 丝 丝 斷 斷 斷 斷

別掛斷電話。
bié guà duàn diàn huà
Don't hang up the phone.

我的鉛筆斷了。
wǒ dě cian bǐ duàn lě
　　　de qiān　　　　　le
My pencil is broken.

告訴（ㄍㄠˋ ㄙㄨˋ；gào sù）tell
告：ノ ㇀ ㇏ 生 牛 告 告
訴：丶 ㇀ ㇀ ㇒ 言 言 言 訂 訴 訴 訴

請你告訴李先生這件事。
cǐng nǐ gào sù Lǐ sian sheng jhè jiàn shìh
qǐng　　　　　　　xiān shēng zhè　　shì
Please tell Mr. Li about this matter.

你應該告訴他你的意思。
nǐ ying gai gào sù ta nǐ dě yì sih
　yīng gāi　　　　tā　　de　　si
You should have told him what you meant.

三 溫習 REVIEW

王先生：怎麼打不通呢？

王太太：是在講話中嗎？

王先生：不是。

王太太：是電話壞了嗎？

王先生：也不是，是沒人接。會不會是電話號碼錯了？

王太太：應該不會。

王先生：那麼我再試試看。

林先生：喂！

王先生：是大中嗎？我是世平啊。怎麼剛才沒人接電話？

林先生：剛才我在洗手間，一聽見電話鈴聲，就趕快
　　　　出來，可是你已經掛斷了。

王先生：對不起，對不起，我是要告訴你，我明天準時到。

四　應用　EXTENDED PRACTICE

甲：請問林先生在嗎？
cǐng wùn Lín sian sheng zài mǎ
qǐng wèn　　 xiān shēng　　 ma
Is Mr. Lin in?

乙：我就是，請問你是…
wǒ jiòu shìh　 cǐng wùn nǐ　shìh
　　 jiù shì　　 qǐng wèn　　 shì
This is Mr. Lin speaking. You are...

甲：我是王世平。
wǒ shìh Wáng shìh píng
　　 shì　　　 shì
This is Wang Shih-ping.

乙：世平，你好嗎？
shìh píng　　 nǐ hǎo mǎ
shì　　　　　　　　 ma
Shih-ping. How are you?

甲：給你打電話真不容易。昨天沒人接，
gěi nǐ dǎ diàn huà jhen bù róng yì　　 zuó tian méi rén jie
　　　　　　　　 zhēn　　　　　　　 tiān　　　　 jiē

今天打了幾次又都在講話中。
jin tian dǎ lě jǐ cìh yòu dou zài jiǎng huà jhong
jīn tiān　 le　 cì　　 dōu　　　　　　　 zhōng
It's so hard to get through to you. Nobody was home yesterday, and today the
line was always busy.

乙：真對不起，這幾天我很忙。有什麼事嗎？
jhen duèi bù cǐ　 jhè jǐ tian wǒ hěn máng　 yǒu shé mě shìh mǎ
zhēn dùi　 qǐ　 zhè　 tiān　　　　　　　　　　 me shì ma
I'm sorry. I've been quite busy for the past two days. What is it?

甲：我想請問你小李的電話是幾號。
wǒ siǎng cǐng wùn nǐ siǎo Lǐ dě diàn huà shìh jǐ hào
　　 xiǎng qǐng wèn　 xiǎo　 de　　　　 shì
I would like to know Mr. Li's telephone number.

乙：你別掛斷，我去查一查，馬上告訴你。
nǐ bié guà duàn　 wǒ cyù chá yì chá　 mǎ shàng gào sù nǐ
　　　　　　　　　　 qù
Don't hang up. I'll look it up and tell you immediately.

第二十四課　我家有六口人
Lesson 24　There Are Six People in My Family

 一　課文　TEXT

 甲：你和你的家人住在一起嗎？
nǐ hàn nǐ de jiā rén jhù zài yì cǐ mǎ
　　shì　de　 jiā 　zhù 　　　qǐ 　ma

Do you live with your family?

 乙：是的，我和爸爸、媽媽、哥哥、姊姊
shìh de　 wǒ hàn bà bǎ　ma mǎ　 ge gě　 jiě jiě
shì de　　　　　 ba　 mā ma　gē ge　　 jie

住在一起，你呢？
jhù zài yì cǐ　 nǐ ně
zhù　　 qǐ　　 ne

Yes, I live with my father, mother, brother and sister. How about you?

 甲：我家很遠，所以我一個人在這裡租房子住。
wǒ jiā hěn yuǎn　 suǒ yǐ wǒ yí gě rén zài jhè lǐ zu fáng zih jhù
　 jiā　　　　　　　　　　　　 ge　　 zhè　zū　 zi zhù

My home is far away from here, so I rented a house.

 乙：房租很貴吧？
fáng zu hěn guèi bǎ
　　 zū　 guì ba

Is the rent very high?

 甲：房租不貴，不過房間很小。
fáng zu bú guèi　 bú guò fáng jian hěn siǎo
　　 zū　 guì　　　　　　　 jiān　 xiǎo

No, it's not, but the room is small.

乙：你家裡還有些什麼人？
nǐ jia lǐ hái yǒu sie shé me rén
jiā xiē me

How many people are there in your family?

甲：我家裡還有父母親、一個弟弟、兩個妹妹。
wǒ jia lǐ hái yǒu fù mǔ cin yí gě dì di liǎng gě mèi mèi
jiā qīn ge di ge mei

I have my father and mother, a brother and two sisters.

乙：你家的人不少。
nǐ jia dě rén bù shǎo
jiā de

You have a big family.

甲：是的，我家有六口人。
shìh dě wǒ jia yǒu liòu kǒu rén
shì de jiā lìu

Yes, there are six people in my family.

乙：你想念他們嗎？
nǐ siǎng niàn ta měn mǎ
xiǎng tā men ma

Do you miss them?

甲：我很想念他們。
wǒ hěn siǎng niàn ta měn
xiǎng tā men

Yes, I miss them very much.

二 字與詞 WORDS AND PHRASES

住（ㄓㄨˋ；jhù/zhù）live
住：ノ 亻 亻 亻 住 住 住

你跟誰住？
nǐ gen shéi jhù
gēn zhù

Who do you live with?

你住在那裡？
nǐ jhù zài nǎ lǐ
zhù

Where do you live?

爸（ㄅㄚˋ・ㄅㄚ；bà bǎ/ ba）daddy
爸：ノ 八 八 父 父 爷 爸 爸

父親（ㄈㄨˋ ㄑㄧㄣ；fù cin/qīn）father
父：ノ 八 父 父
親：亠 亠 亠 立 立 辛 辛 亲 亲 剥 親 親 親 親

父ㄈㄨˋ親ㄑㄧㄣ
fù cin
　　qīn
father

母ㄇㄨˇ親ㄑㄧㄣ
mǔ cin
　　qīn
mother

親ㄑㄧㄣ人ㄖㄣˊ
cin rén
qīn
close relatives, folks

親ㄑㄧㄣ戚ㄑㄧ
cin ci
qīn qī
relatives

親ㄑㄧㄣ近ㄐㄧㄣˋ
cin jìn
qīn
intimate, close to

孩ㄏㄞˊ子ㄗˇ都ㄉㄡ很ㄏㄣˇ喜ㄒㄧˇ歡ㄏㄨㄢ親ㄑㄧㄣ近ㄐㄧㄣˋ他ㄊㄚ。
hái zih dou hěn sǐ huan cin jìn ta
zi dōu xǐ huān qīn tā
Children like to be close to him.

媽媽（ㄇㄚ‧ㄇㄚ；ma mǎ/mā ma）mom
媽：ㄑ ㄠ ㄠ ㄩ ㄩˋ ㄩˊ ㄩˊ ㄩˊ 媽 媽 媽 媽 媽

母親（ㄇㄨˇ ㄑㄧㄣ；mǔ cin/qīn）mother
母：ㄥ ㄢ 母 母 母

我ㄨㄛˇ跟ㄍㄣ我ㄨㄛˇ父ㄈㄨˋ母ㄇㄨˇ親ㄑㄧㄣ住ㄓㄨˋ在ㄗㄞˋ一ㄧ起ㄑㄧˇ。
wǒ gen wǒ fù mǔ cin jhù zài yì cǐ
gēn qīn zhù qǐ
I live with my father and mother.

我ㄨㄛˇ爸ㄅㄚˋ爸ㄅㄚ在ㄗㄞˋ一ㄧ家ㄐㄧㄚ公ㄍㄨㄥ司ㄙ上ㄕㄤˋ班ㄅㄢ。
wǒ bà bǎ zài yì jia gong sih shàng ban
ba jiā gōng sī bān
My dad works for a company.

我ㄨㄛˇ媽ㄇㄚ媽ㄇㄚ在ㄗㄞˋ一ㄧ所ㄙㄨㄛˇ學ㄒㄩㄝˊ校ㄒㄧㄠˋ教ㄐㄧㄠ書ㄕㄨ。
wǒ ma mǎ zài yì suǒ syué siào jiao shu
mā ma xué xiào jiāo shū
My mom teaches at a school.

哥哥（ㄍㄜ‧ㄍㄜ；ge gě/gē ge）elder brother
哥：一 ㄏ ㄏ ㄈ 可 可 哥 哥 哥 哥

姊姊（ㄐㄧㄝˇ・ㄐㄧㄝ；jiě jiě/jie）elder sister

姊：ㄑ ㄠ ㄠ ㄠˊ ㄠˇ 姉 姊 姊

弟弟（ㄉㄧˋ・ㄉㄧ；dì di）younger brother

弟：ㄗ ㄗˇ ㄠ ㄠ ㄠ 弟 弟

妹妹（ㄇㄟˋ・ㄇㄟ；mèi měi/mei）younger sister

妹：ㄑ ㄠ ㄠ ㄠˊ ㄠˇ 妹 妹 妹

我沒有哥哥、姊姊。
wǒ méi yǒu ge gě   jiě jiě
            gē ge   jie

I don't have any elder brothers or sisters.

我有一個弟弟，兩個妹妹。
wǒ yǒu yí gě dì di   liǎng gě mèi měi
          ge   ge mei

I have a younger brother and two younger sisters.

我弟弟跟大妹上中學了。
wǒ dì di gen dà mèi shàng jhong syué lě
          gēn   zhōng xué le

My younger brother and sister study at a middle school.

我小妹才上小學。
wǒ siǎo mèi cái shàng siǎo syué
   xiǎo   xiǎo xué

My little sister is just in the elementary school.

租（ㄗㄨ；zu/zū）rent

租：ㄟ ㄠ 千 千 禾 禾 和 和 和 租 租

租房子
zu fáng zih
zū   zi

to rent a house

租車子
zu che zih
zū chē zi

to rent a car

房（ㄈㄤˊ；fáng）house

房：ㄟ ㄠ ㄠ 户 户 户 房 房

房子
fáng zih
     zi

house

房間
fáng jian
     jiān

room

我要租房子。
wǒ yào zu fáng zih
　　　　zū　　 zi
I want to rent a house.

這間房子出租。
jhè jian fáng zih chu zu
zhè jiān　　　 zi chū zū
This house is for rent.

房租貴不貴？
fáng zu guèi bú guèi
　　 zū gùi　　 gùi
Is the rent high?

房租一個月八千塊。
fáng zu yí gě yuè ba cian kuài
　　 zū　 ge　　 bā qiān
The rent is $ 8000 a month.

太貴了，我租不起。
tài guèi lě　　 wǒ zu bù cǐ
　 gùi le　　　　 zū　 qǐ
That's too expensive. I can't afford it.

你可以只租一個房間。
nǐ kě yǐ jhǐh zu yí gě fáng jian
　　　　 zhǐ zū　 ge　　 jiān
You can just rent a room.

些（ㄒㄧㄝ；sie/xiē）some, a few

些： ㄧ ㄊ ㄊ 止 此 此 些 些

我買了一些新書。
wǒ mǎi lě　 yì sie sin shu
　　　 le　　 xiē xīn shū
I bought some new books.

這些新書都很有趣。
jhè sie sin shu dou hěn yǒu cyù
zhè xiē xīn shū dōu　　　　 qù
These new books are very interesting.

我在台灣有些親人。
wǒ zài tái wan yǒu sie cin rén
　　　　 wān　　 xiē qīn
I have a few relatives in Taiwan.

你有那些親人在台灣？
nǐ yǒu nǎ sie cin rén zài tái wan
　　　　 xiē qīn　　　　　 wān
Which relatives are in Taiwan?

口（ㄎㄡ∨；kǒu）mouth, person

口： ㄧ ㄇ ㄇ

中國的人口很多。
jhong guó dě rén kǒu hěn duo
zhōng de duō
China has a large population.

你家有幾口人？
nǐ jia yǒu jǐ kǒu rén
jiā
How many people are there in your family?

你口中有什麼東西？
nǐ kǒu jhong yǒu shé mě dong si
zhōng me dōng xi
What do you have in your mouth?

巷口
siàng kǒu
xiàng
the entrance to a lane

路口
lù kǒu
the intersection of a road

門口
mén kǒu
the gate, the opening of a door

很多母親到學校門口接孩子回家。
hěn duo mǔ cin dào syué siào mén kǒu jie hái zih huéi jia
duō qīn xué xiào jiē zi húi jiā
Many mothers take their children home at the entrance of the school.

我家門口有一棵大樹。
wǒ jia mén kǒu yǒu yì ke dà shù
jiā kē
There is a big tree at the door of my house.

這個路口有一家文具店。
jhè gě lù kǒu yǒu yì jia wún jyù diàn
zhè ge jiā wén jù
There is a stationer at the road intersection.

念（ㄋㄧㄢˋ；niàn）think of, remember
念：ノ ㄥ ㄥ 今 念 念 念 念

紀念
jì niàn
commemorate

想念
siǎng niàn
xiǎng
miss

七月四號是美國獨立紀念日。
ci yuè sìh hào shìh měi guó dú lì jì niàn rìh
qī　　sì　 shì　　　　　　　　　　　　　　rì
July 4th is America's Independence Day.

我很想念我的家人。
wǒ hěn siǎng niàn wǒ dě jia rén
　　　　 xiǎng　　　　 de jiā
I miss my family very much.

三 溫習_{xí} REVIEW

甲：你和你的家人住在一起嗎？

乙：是的，我和爸爸、媽媽、哥哥、姊姊住在一起，你呢？

甲：我家很遠，所以我一個人在這裡租房子住。

乙：房租很貴吧？

甲：房租不貴，不過房間很小。

乙：你家裡還有些什麼人？

甲：我家裡還有父母親、一個弟弟、兩個妹妹。

乙：你家的人真不少。

甲：是的，我家有六口人。

乙：你想念他們嗎？

甲：我很想念他們。

四 應用 EXTENDED PRACTICE

甲：你們家有幾口人？
nǐ men jia yǒu jǐ kǒu rén

How many people are there in your family?

乙：我們家有六口人。
wǒ men jia yǒu liòu kǒu rén

There are six people in my family.

甲：你們都住在一起嗎？
nǐ men dou jhù zài yì cǐ mǎ

Do you live together?

乙：是的，不過有些親人在國外。
shìh de bú guò yǒu sie cin rén zài guó wài

Yes, but some of our relatives are living abroad.

甲：有些什麼親人？
yǒu sie shé mě cin rén

Which relatives?

乙：我祖父母住在加拿大，外祖父母住在
wǒ zǔ fù mǔ jhù zài jia ná dà wài zǔ fù mǔ jhù zài

英國，我阿姨住在日本。
ying guó wǒ a yí jhù zài rìh běn

My grandparents live in Canada, my mother's parents live in England and my aunt lives in Japan.

甲：你去看過他們嗎？
nǐ cyù kàn guò ta men mǎ

Have you ever visited them?

乙：加拿大跟英國我都去過了。
jia ná dà gen ying guó wǒ dou cyù guò le

I've been to Canada and England.

甲：為什麼不去日本呢？
wèi shé mě bú cyù rìh běn ně

Why haven't you been to Japan?

乙：因為我阿姨還在上學，所以她
yin wèi wǒ a yí hái zài shàng syué suǒ yǐ ta

租的房間很小，我去了不太方便。
zu de fáng jian hěn siǎo wǒ cyù le bú tài fang biàn

Because my aunt is still a student, and she lives in a small rented room, it would be inconvenient if I visited her.

中英文版

第二十五課　到我家來玩
Lesson 25　Come to My House

一　課文　TEXT

甲：你一個人住在外面，一定很不方便。
nǐ yí ge rén jhù zài wài miàn yí dìng hěn bù fang biàn
　　　ge zhù　　　　　　　　　　　　　　fāng

It must be very inconvenient to live by yourself.

乙：是的，我很想家，所以我週末常回去。
shìh de wǒ hěn siǎng jia suǒ yǐ wǒ jhou mò cháng huéi cyù
shì de　　　 xiǎng jiā　　　　　 zhōu　　　 húi qù

Yes, I miss my family, so I often go home on weekends.

甲：這個週末你到我家來玩兩天吧！
jhè ge jhou mò nǐ dào wǒ jia lái wán liǎng tian ba
zhè ge zhōu　　　　　　 jiā　　　 tiān ba

Can you come to my house this weekend?

乙：會不會太麻煩你們？
huèi bú huèi tài má fán nǐ měn
hùi　 hùi　　　　　　 men

Would it be much trouble for you?

甲：不會的，你不要客氣，我父母親很歡迎客人。
bú huèi de nǐ bú yào kè cì wǒ fù mǔ cin hěn huan yíng kè rén
　 hùi de　　　　　 qì　　　　 qīn guān

It's not. My parents welcome my friends.

乙：住在你家方便嗎？
jhù zài nǐ jia fang biàn mǎ
zhù　　　 jiā fāng　　 ma

Is it convenient to stay in your house?

甲：非常方便，我家有好幾間臥房，
fei cháng fang biàn　wǒ jia yǒu hǎo jǐ jian wò fáng
fēi　　　fāng　　　jiā　　　　jiān

客廳、飯廳也不小。要是天氣好的話，
kè ting　fàn ting yě bù siǎo　yào shìh tian cì hǎo dě huà
　tīng　　tīng　　　xiǎo　　　shì tiān qì　　de

還可以在院子裡打球。
hái kě yǐ zài yuàn zih lǐ dǎ cióu
　　　　　　zi　　　qíu

Very convenient. We have many bedrooms. The living room and the dining room are big too. If the weather is nice, we can also play ball in the yard.

乙：太好了，我很喜歡打球。
tài hǎo lě　wǒ hěn sǐ huan dǎ cióu
　　　le　　　　xǐ huān　　qíu

Good. I like to play ball.

甲：那麼週末我來接你。
nà me jhou mò wǒ lái jie nǐ
　me zhōu　　　　jiē

Then, I will pick you up this weekend.

乙：不用了，給我你家的地址，我一定找得到。
bú yòng lě　gěi wǒ nǐ jia dě dì jhǐh　wǒ yí dìng jhǎo dě dào
　　　le　　　　　　jiā de　zhǐ　　　　　　zhǎo de

No, you don't need to. If you give me your address, I'm sure I can find it.

二 字與詞　WORDS AND PHRASES

週末（ㄓㄡㄇㄛˋ；jhou/zhōu mò）weekend

週：丿 冂 月 門 月 用 周 周 週 调 调 週

末：一 二 十 才 末

週末來我家玩好嗎？
jhou mò lái wǒ jia wán hǎo mǎ
zhōu　　　　jiā　　　　ma
Come over to my house this weekend, OK?

你週末不出去嗎？
nǐ jhou mò bù chu cyù mǎ
　zhōu　　　chū qù ma
Don't you go out on the weekend?

我週末多半在家。
wǒ jhou mò duo bàn zài jia
　zhōu　　duō　　　jiā
No, I usually stay at home.

常（ㄔㄤˊ；cháng）often, frequently

常：丷 丷 丷 屵 屵 当 常 常 常 常 常

歡迎你常常到我家來玩。
huān yíng nǐ cháng cháng dào wǒ jiā lái wán

You are welcome to come over to my place often.

我常買書。
wǒ cháng mǎi shū

I often buy books.

我平常晚上不出門。
wǒ píng cháng wǎn shàng bù chū mén

I don't usually go out at night.

玩（ㄨㄢˊ；wán）Play

玩：一 = チ 王 王 玙 玨 玩

你喜歡玩球嗎？
nǐ xǐ huān wán qíu ma

Do you like to play balls ?

我喜歡玩電腦。
wǒ xǐ huān wán diàn nǎo

I like to play with the computer.

客（ㄎㄜˋ；kè）guest

客：、 ン 宀 宀 宛 宛 客 客

客人
kè rén

guest

客氣
kè qì

polite

客廳
kè tīng

living room

氣（ㄑㄧˋ；cì/qì）air, atmosphere, angry

氣：ノ ヒ ヒ 气 气 气 氚 氚 氣

客氣
kè cì
qì
polite

天氣
tian cì
tiān qì
weather

他太客氣了。
ta tài kè cì le
tā qì le
He's too polite.

今天天氣很好。
jin tian tian cì hěn hǎo
jīn tiān tiān qì
The weather is very nice today.

他為什麼生氣了？
ta wèi shé mě sheng cì le
tā me shēng qì le
Why did he get angry?

非常（ㄈㄟ ㄔㄤˊ；fei/fēi cháng）very

非：丿 ㇆ ㇇ ㇇ ㇇ 非 非 非

他非常聰明。
ta fei cháng cong míng
tā fēi cōng
He is very smart.

今天天氣非常好。
jin tian tian cì fei cháng hǎo
jīn tiān tiān qì fēi
Today's weather is very nice.

臥（ㄨㄛˋ；wò）sleep

臥：一 ㇆ ㇏ ㇏ ㇏ ㇏ 臣 臥 臥

臥房
wò fáng
bedroom

臥室
wò shìh
shì
bedroom

廳（ㄊㄧㄥ；ting/tīng）parlour, hall

廳：丶 一 广 广 广 庁 庁 庁 庁 庁 庁 庁 庁 庁 庁 廓 廊 廊 廊 廳 廳 廳 廳

客廳
kè ting
tīng
living room

飯廳
fàn ting
tīng
dining room

院子（ㄩㄢˋ ・ㄗ；yuàn zih/zi）yard, court
院：㇇ 阝 阝 阝 阝 阝 阝 阝 阝 院

前院
cián yuàn
qián
front yard

後院
hòu yuàn
back yard

醫院
yi yuàn
yī
hospital

研究院
yán jiòu yuàn
jiù
research institute

球（ㄑㄧㄡˊ；cióu/qíu）ball
球：一 二 千 王 王 玎 玎 玎 球 球 球

足球
zú cióu
qíu
football

籃球
lán cióu
qíu
basketball

網球
wǎng cióu
qíu
tennis

排球
pái cióu
qíu
volleyball

羽毛球
yǔ máo cióu
　　　 qíu
badminton

桌球（乒乓球）
jhuo cióu　　ping pang cióu
zhuō qíu　　pīng pāng qíu
table tennis

你喜歡玩球嗎？
nǐ sǐ huan wán cióu mǎ
　 xǐ huān　　qíu ma
Do you like to play ball games?

我喜歡打網球。
wǒ sǐ huan dǎ wǎng cióu
　 xǐ huān　　　 qíu
I like to play tennis.

址（ㄓˇ；jhǐh/zhǐ）location

址：一 十 土 圵 圵 址 址

地址
dì jhǐh
　 zhǐ
address

住址
jhù jhǐh
zhù zhǐ
address

請告訴我你的地址。
cǐng gào sù wǒ nǐ dě dì jhǐh
qǐng　　　　　　 de　 zhǐ
Please tell me your address.

你知道梅花飯店的地址嗎？
nǐ jhih dào méi hua fàn diàn dě dì jhǐh mǎ
　 zhī　　　 huā　　　　 de　 zhǐ ma
Do you know where the Plum Restaurant is?

這個地址不好找。
jhè gě dì jhǐh bù hǎo jhǎo
zhè ge　 zhǐ　　　 zhǎo
This place is not easy to find.

三 溫習 REVIEW

 甲：你一個人住在外面，一定有很多地方不方便。

 乙：是的，我很想家，所以我週末常回去。

 甲：這個週末你到我家來玩兩天吧！

 乙：會不會太麻煩你們？

 甲：不會的，你不要客氣，我父母親很歡迎客人。

 乙：住在你家方便嗎？

 甲：非常方便，我家有好幾間臥房，客廳、飯廳也不小，要是天氣好的話，我們還可以在院子裡打球。

 乙：太好了，我很喜歡打球。

 甲：那麼週末我來接你。

 乙：不用了，只要給我地址，我一定找得到。

四 應用 EXTENDED PRACTICE

甲：你平常在家裡做什麼？
nǐ píng cháng zài jia lǐ zuò shé me
　　　　　　　jiā　　　　　　me

What do you usually do at home?

乙：我一有空就玩電腦。
wǒ yì yǒu kòng jiòu wán diàn nǎo
　　　　　　　jiù

Whenever I have time, I play with the computer.

甲：別一天到晚在屋子裡，天氣好的時候，
bié yì tian dào wǎn zài wu zih lǐ tian cì hǎo dě shíh hòu
　　　tiān　　　　　　wū zi　　tiān qì　de shí

應該出來玩玩。
ying gai chu lái wán wán
yīng gāi chū

You shouldn't stay inside all day. When the weather is nice, you should go outside and play.

乙：對，這個週末我們一起去打網球，好不好？
duèi jhè gě jhou mò wǒ měn yì cǐ cyù dǎ wǎng cióu hǎo bù hǎo
dùi zhè ge zhōu　　　men　　qǐ qù　　　qiú

Good! Let's go play tennis together this weekend. Okay?

甲：好，可是到那裡去打呢？
hǎo kě shìh dào nǎ lǐ cyù dǎ ně
　　　shì　　　　　　qù　　ne

Okay! Where will we play?

乙：可以到我們學校打。
kě yǐ dào wǒ měn syué siào dǎ
　　　　　　men xué xiào

We can go to our school and play.

甲：你們學校在那裡？
nǐ měn syué siào zài nǎ lǐ
　　men xué xiào

Where is your school?

乙：我們學校不遠，我給你地址你一定找得到。
wǒ měn syué siào bù yuǎn wǒ gěi nǐ dì jhǐh nǐ yí dìng jhǎo dě dào
　　men xué xiào　　　　　　　　　zhǐ　　　　　zhǎo de

Our school isn't far. I'll give you the address. I'm sure you can find it.

中ㄓㄨㄥ英ㄧㄥ文ㄨㄣ版ㄅㄢˇ

第ㄉㄧ二ㄦˋ十ㄕˊ六ㄌㄧㄡˋ課ㄎㄜˋ　迷ㄇㄧˊ路ㄌㄨˋ
Lesson 26　　　　　　　　Getting Lost

 課ㄎㄜˋ文ㄨㄣˊ　TEXT

 甲ㄐㄧㄚˇ：歡ㄏㄨㄢ迎ㄧㄥˊ，歡ㄏㄨㄢ迎ㄧㄥˊ，你ㄋㄧˇ來ㄌㄞˊ得ㄉㄜˇ很ㄏㄣˇ準ㄓㄨㄣˇ時ㄕˊ
huan yíng　huan yíng　nǐ lái dě hěn jhǔn shíh
huān　　　huān　　　　　de　　　zhǔn shí
Welcome! Welcome! You are very punctual.

 乙ㄧˇ：你ㄋㄧˇ家ㄐㄧㄚ很ㄏㄣˇ好ㄏㄠˇ找ㄓㄠˇ，我ㄨㄛˇ一ㄧ找ㄓㄠˇ就ㄐㄧㄡˋ找ㄓㄠˇ到ㄉㄠˋ了ㄌㄜ。
nǐ jia hěn hǎo jhǎo　wǒ yì jhǎo jiòu jhǎo dào le
jiā　　　　zhǎo　　　　zhǎo jiù zhǎo　　lě
Your house is easy to find. I found it without any problems.

 甲ㄐㄧㄚˇ：上ㄕㄤˋ次ㄘˋ小ㄒㄧㄠˇ王ㄨㄤˊ來ㄌㄞˊ，找ㄓㄠˇ了ㄌㄜ半ㄅㄢˋ天ㄊㄧㄢ，也ㄧㄝˇ沒ㄇㄟˊ找ㄓㄠˇ到ㄉㄠˋ。
shàng cìh siǎo Wáng lái　jhǎo lě bàn tian　yě méi jhǎo dào
cì xiǎo　　　　　zhǎo le　　tiān　　　　zhǎo
Last time little Wang had a lot of trouble finding it.

 乙ㄧˇ：這ㄓㄜˋ麼ㄇㄜ說ㄕㄨㄛ，我ㄨㄛˇ比ㄅㄧˇ他ㄊㄚ聰ㄘㄨㄥ明ㄇㄧㄥˊ，是ㄕˋ不ㄅㄨˋ是ㄕˋ？
jhè mě shuo　wǒ bǐ ta cong míng　shìh bú shìh
zhè me shuō　　　　tā cōng　　　shì　　shì
Then I'm smarter, right?

 甲ㄐㄧㄚˇ：上ㄕㄤˋ次ㄘˋ迷ㄇㄧˊ路ㄌㄨˋ的ㄉㄜ事ㄕˋ，你ㄋㄧˇ好ㄏㄠˇ像ㄒㄧㄤˋ忘ㄨㄤˋ記ㄐㄧˋ了ㄌㄜ？
shàng cìh mí lù dě shìh　nǐ hǎo siàng wàng jì lě
cì　　　　de shì　　　xiàng　　　le
You seem to have forgotten your last experience.

乙：那是因為你一直跟我說話，所以我忘了轉彎。
nà shìh yin wèi nǐ yì jhíh gen wǒ shuo huà　suǒ yǐ wǒ wàng lě jhuǎn wan
　　shì yīn　　　　zhí gēn　　shuō　　　　　　　le zhuǎn wān
Last time I got lost because you were talking to me all the time, and I forgot to turn.

甲：不是吧，是在該左轉的時候，你右轉了。
bú shìh bǎ　shìh zài gai zuǒ jhuǎn dě shíh hòu　nǐ yòu jhuǎn lě
　　shì ba　shì　　gāi　　zhuǎn de shí　　　　　zhuǎn le
No, I think you turned the wrong way.

乙：真的嗎？我怎麼不記得了。
jhen dě mǎ　wǒ zěn mě bú jì dě lě
zhēn de ma　　me　　　　de le
Really? Funny, I don't remember that.

甲：快進去吧！我父母親都等著看你呢。
kuài jìn cyù bǎ　wǒ fù mǔ cin dou děng jhě kàn nǐ ně
　　qù ba　　　　qīn dōu　　zhe　　　ne
Come on. My parents are waiting to meet you.

二 字與詞 WORDS AND PHRASES

像（ㄒㄧㄤˋ；siàng/xiàng）like, seem
像：ノ亻亻亻亻俨俨俨俨傍傍像像

你好像很累。
nǐ hǎo siàng hěn lèi
　　　xiàng
You seem to be very tired.

他好像很喜歡唱歌。
ta hǎo siàng hěn sǐ huan chàng ge
tā　　xiàng　　xǐ huān　　　　gē
He seems to like singing.

這兩個地方很像。
jhè liǎng gě dì fang hěn siàng
zhè　　　ge　　fāng　　xiàng
These two places are very much alike.

這張畫很像那張。
jhè jhang huà hěn siàng nà jhang
zhè zhāng　　　　xiàng　　zhāng
This painting is very much like that one.

他很像他的母親。
ta hěn siàng ta dě mǔ cin
tā　　xiàng tā de　　qīn
He is much like his mother.

直（ㄓˊ；jhíh/zhí）straight, directly

直：一 十 ナ 广 古 百 百 直

他上課時一直說話。
ta shàng kè shíh yì jhíh shuo huà
tā   shí   zhí shuō

He kept on talking in class.

這條路很直。
jhè tiáo lù hěn jhíh
zhè   zhí

The road is very straight.

有什麼事，你可以一直接對他說。
yǒu shé mě shìh   nǐ kě yǐ jhíh jie duèi ta shuo
        me shì   zhí jiē dùi tā shuō

If you have anything to say to him, you can say it directly to him.

彎（ㄨㄢ；wan/wān）curvy, bend

彎：ˋ ˊ ˊ ˊ ˊ 糸 糸 糸 絈 絈 絈 絈 綿 綿 綿 綿 綿 彎 彎

這條路很彎。
jhè tiáo lù hěn wan
zhè   wān

The road is curvy.

我的筆彎了。
wǒ dě bǐ wan lě
    de   wān le

My pen is bent.

轉（ㄓㄨㄢˇ；jhuǎn/zhuǎn）turn

轉：一 厂 厅 甴 甴 車 車 軒 軒 軒 軒 轉 轉 轉 轉 轉 轉

轉彎
jhuǎn wan
zhuǎn wān

turn in another direction

左（ㄗㄨㄛˇ；zuǒ）left

左：一 ナ ナ 左 左

右（一ㄡˋ；yòu）right

右：一 ナ 大 右 右

左轉
zuǒ jhuǎn
    zhuǎn

turn to the left

右轉
yòu jhuǎn
　　 zhuǎn
turn to the right

左手
zuǒ shǒu
left hand

右手
yòu shǒu
right hand

忘（ㄨㄤˋ；wàng）forget
忘：　丶　亠　亡　产　忘　忘　忘

忘了
wàng lě
　　 le
forget

忘記了
wàng jì lě
　　　 le
forget

那個東西放在那兒，我忘了。
nà gě dong si fàng zài nǎ er 　 wǒ wàng lě
　　 ge dōng xi 　　　　　　　　　　　 le
I forgot where it was.

那件事我忘記轉告他。
nà jiàn shìh wǒ wàng jì jhuǎn gào ta
　　　 shì 　　　　　　 zhuǎn 　　 tā
I forgot to tell him about it.

我忘記了這件事。
wǒ wàng jì lě jhè jiàn shìh
　　　　　 le zhè 　　 shì
I forgot about this matter.

記（ㄐㄧˋ；jì）remember, take down
記：　丶　二　亠　言　言　言　記　記　記

用筆記下來。
yòng bǐ jì sià lái
　　　　　 xià
Please take it down.

記在本子上。

jì zài běn zih shàng
　　　　 zi

Please write it down in the notebook.

我告訴你的事你記住了嗎？

wǒ gào sù nǐ dě shìh nǐ jì jhù lě mǎ
　　　　　 de shì　　　 zhù le

Do you remember what I told you?

我記住了。

wǒ jì jhù lě
　　 zhù le

I remember.

你記得那個人嗎？

nǐ jì dě nà gě rén mǎ
　　 de　 ge　 ma

Do you remember that man?

我記得。

wǒ jì de
　　 dě

I remember him.

別忘記給我打電話。

bié wàng jì gěi wǒ dǎ diàn huà

Don't forget to call me.

迷（ㄇㄧˊ；mí）spellbound, enchanted, charmed, become lost

迷：丶 丶 丷 半 半 米 米 米 迷 迷 迷

他讓電腦迷住了。

ta ràng diàn nǎo mí jhù lě
tā　　　　　　　 zhù le

He is spellbound by the computer.

他很迷電腦。

ta hěn mí diàn nǎo
tā

He is infatuated with the computer.

那個女孩很迷人。

nà gě nyǔ hái hěn mí rén
　 ge

The girl is charming.

在山上很容易迷路。

zài shan shàng hěn róng yì mí lù
　　 shān

It's easy to get lost in the mountains.

溫習 REVIEW

 甲：歡迎，歡迎，你來得很準時。

 乙：你家很好找，我一找就找到了。

 甲：上次小王來，找了半天也沒找到。

 乙：這麼說，我比他聰明，是不是？

 甲：你好像忘記上次迷路的事了。

 乙：上次因為你一直跟我說話，所以我忘了轉彎。

 甲：不是吧，是在該左轉的時候你右轉了。

 乙：真的嗎？我怎麼不記得了。

 甲：快進去吧！我父母親都等著看你呢。

四 應用 EXTENDED PRACTICE

甲：怎麼來得那麼晚？迷路了嗎？
zěn me lái dě nà me wǎn mí lù lě mǎ
    me   de   me   le ma

Why did you come so late? Did you get lost?

乙：這裡不好找。
jhè lǐ bù hǎo jhǎo
zhè   zhǎo

This place is hard to find.

甲：你可以打電話給我，我去接你。
nǐ kě yǐ dǎ diàn huà gěi wǒ wǒ cyù jie nǐ
                           qù jiē

You could have called me. I could have come for you.

乙：可是我忘了你的電話號碼。
kě shìh wǒ wàng lě nǐ dě diàn huà hào mǎ
    shì   le   de

But I forgot your telephone number.

甲：你好像來過一次。
nǐ hǎo siàng lái guò yí cìh
       xiàng   cì

You seem to have been here once before.

乙：是啊，所以我還是找到了，不過來得太晚了。
shìh å suǒ yǐ wǒ hái shìh jhǎo dào lě bú guò lái dě tài wǎn lě
shì a   shì zhǎo   le   de   le

Yes, that's why I found it at last, but I got here too late.

甲：沒關係，下次要記住，從我們學校門口一直走，
méi guan sì sià cìh yào jì jhù cóng wǒ měn syué siào mén kǒu yì jhíh zǒu
    guān xì   xià cì   zhù   men xué xiào   zhí

到今日百貨公司右轉，就到我家了。
dào jin rìh bǎi huò gong sih yòu jhuǎn jiòu dào wǒ jia lě
    jīn rì   gōng sī zhuǎn   jiù   jiā le

That's all right. Next time remember to walk straight from the school gate and turn right at Today's Department Store. Then you can find my house.

乙：下次不會忘記了。
sià cìh bú huèi wàng jì lě
xià cì   huì   le

I won't forget next time.

第二十七課 怎麼走？

Lesson 27 How Do I Get There?

一 課文 TEXT

甲：先生，請問到第一銀行怎麼走？
sian sheng cǐng wùn dào dì yi yín háng zěn mě zǒu
　xiān shēng qǐng wèn 　　yī　　　　　　　me
Sir, can you tell me how I can get to the First National Bank?

乙：你先向右走，到十字路口左轉，然後再
nǐ sian siàng yòu zǒu dào shíh zìh lù kǒu zuǒ jhuǎn rán hòu zài
　xiān xiàng　　　　 shí zì　　　　　 zhuǎn

一直走過兩個紅綠燈就到中山北路了。
yì jhíh zǒu guò liǎng gě hóng lyù deng jiòu dào jhong shan běi lù lě
　zhí　　　　　 ge　　　 dēng jiù　 zhōng shān　　 le
Turn to the right first. Turn left at the first intersection. Then walk two blocks,
and you'll be at Jhong-shan North Road.

甲：第一銀行在中山北路嗎？
dì yi yín háng zài jhong shan běi lù mǎ
　yī　　　　　 zhōng shān　　 ma
Is the First National Bank on Jhong-shan North Road?

乙：是的，在一家百貨公司對面。
shìh dě zài yì jia bǎi huò gong sih duèi miàn
shì de　　　 jia　　　 gōng sī dùi
Yes, it's right in front of a department store.

甲：我知道了，那家百貨公司很大。
wǒ jhih dào lě nà jia bǎi huò gong sih hěn dà
　zhī　 le　　 jia　　　 gōng sī
I know. That department store is very big.

乙：不過，過馬路要小心，那條路上車子很多。
bú guò guò mǎ lù yào siǎo sin nà tiáo lù shàng che zih hěn duo
　　　　　　　　　 xiǎo xīn　　　　　　　 chē zi　 duō
But be careful when you cross the street. There are a lot of cars.

甲：好的，我走地下道，謝謝你。
hǎo dě wǒ zǒu dì sià dào siè siě nǐ
　 de　　　　 xià　 xiè xie
OK, I'll take the underground passage. Thank you.

二 字與詞 WORDS AND PHRASES

第（ㄉㄧ丶；dì）rank, order
第：ノ ㅏ ㅑ ㅆ 竹 竹 竹 竺 竺 第 第

第一
dì yi
   yī
first

第二
dì èr
second

第三
dì san
    sān
third

這是你第幾次去英國？
jhè shìh nǐ dì jǐ cìh cyù ying guó
zhè shì   cì qù yīng
How many times have you been to England?

銀（ㄧㄣ丶；yín）silver
銀：ノ ㅏ ㅑ ㅆ 牟 牟 余 金 釒 釘 釘 鈩 鈅 銀

行（ㄒㄧㄥ丶ㄏㄤ丶；síng/xíng háng）company, conduct, line
行：ノ ㄱ ㄔ 彳 彳 行 行

這種行為是不對的。
jhè jhǒng síng wéi shìh bú duèi dè
zhè zhǒng xíng   shì   dùi de
Such conduct is wrong.

這張紙上有三行字。
jhè jhang jhǐh shàng yǒu san háng zìh
zhè zhāng zhǐ   sān   zì
There are three lines of words on this paper.

你到銀行去做什麼？
nǐ dào yín háng cyù zuò shé me
            qù   me
Why did you go to the bank?

向（ㄒㄧㄤ丶；siàng/xiàng）direction, turn to
向：ノ 亻 白 向 向 向

方向
fang siàng
fāng xiàng
direction

向 前 看
siàng cián kàn
xiàng qián
look ahead

向 左 轉
siàng zuǒ jhuǎn
xiàng zhuǎn
turn to the left

然（ㄖㄢˊ；rán）but, same as

然：ノ ク タ タ ㄆ 外 狄 狄 狄 然 然 然

自 然
zìh rán
zì
natural

當 然
dang rán
dāng
of course

然 後
rán hòu
then

多 練 習，自 然 就 會 了。
duo liàn sí zìh rán jiòu huèi lě
duō xí zì jiù hùi le
If you practice more, then you will be able to do it.

學 生 當 然 應 該 用 功 。
syué sheng dang rán ying gai yòng gong
xué shēng dāng yīng gāi gōng
Students should have to study hard.

我 們 先 買 東 西，然 後 吃 飯 。
wǒ mèn sian mǎi dong si rán hòu chih fàn
men xiān dōng xi chī
We'll buy something first, and then have some food.

紅（ㄏㄨㄥˊ；hóng）red

紅：ノ ㄥ ㄠ ㄠ ㄠ ㄠ 紅 紅 紅

紅 的
hóng de
dě
red

這 枝 筆 是 紅 的 。
jhè jhih bǐ shih hóng dě
zhè zhī shì de
This pen is red.

綠（ㄌㄩˋ；lyù）green

綠：ㄠ ㄠ ㄠ ㄠ ㄠ ㄠ 糹 糸 糾 紵 紵 紵 綠 綠

綠的
lyù dě
　　de
green

這棵樹是綠的。
jhè ke shù shìh lyù dě
zhè kē　shì　　　de
This tree is green.

燈（ㄉㄥ；deng/dēng）light

燈：丶 丶 ㄠ ㄤ ㄜ ㄜ 灯 炒 炒 炒 炒 熔 燈 燈 燈 燈

電燈
diàn deng
　　dēng
electric light

紅燈
hóng deng
　　dēng
red light

綠燈
lyù deng
　　dēng
green light

黃燈
huáng deng
　　　dēng
yellow light

知（ㄓ；jhih/zhī）know

知：ㄠ ㄠ ㄉ ㄠ 矢 矢 知 知

知識
jhih shìh
zhī shì
knowledge

上學是為了求知識。
shàng syué shìh wèi lě cióu jhih shìh
shàng xué shì　　le qíu zhī shì
We go to school to seek knowledge.

知道
jhih dào
zhī
know

張 先 生 從 台 北 來 了 ， 你 知 道 嗎 ？
Jhang sian sheng cóng tái běi lái lė　　nǐ jhih dào mǎ
Zhāng xiān shēng　　　　　　　le　　zhī　　ma

Do you know that Mr. Jhang comes from Taipei?

你 知 道 那 間 房 子 租 多 少 錢 嗎 ？
nǐ jhih dào nà jian fáng zih zu duo shǎo cián mǎ
　　zhī　　jiān　　zi zū duō　　qián ma

Do you know the rent for that house?

我 不 知 道
wǒ bù jhih dào
　　　　zhī

I don't know.

道（ㄉㄠˋ；dào）way

道： 丶 丷 丷 丷 产 芦 首 首 首 首 道 道 道

道 路
dào lù
road, street

道 路 上 車 子 很 多 。
dào lù shàng che zih hěn duo
　　　　　　chē zi　　　duō

There are many cars on the street.

這 條 道 路 很 大 。
jhè tiáo dào lù hěn dà
zhè

The street is very wide.

道 理
dào lǐ
reason, right

你 說 的 話 很 有 道 理 。
nǐ shuo dė huà hěn yǒu dào lǐ
　　shuō de

What you said is quite right.

你 知 道 這 幅 畫 是 誰 畫 的 嗎 ？
nǐ jhih dào jhè fú huà shìh shéi huà dė mǎ
　　zhī　　zhè　　　　shì　　　　de ma

Do you know who did this painting?

條（ㄊㄧㄠˊ；tiáo）a classifier for some thing narrow and long

條： 丿 亻 亻 仁 伫 伫 伩 條 條 條 條

這 條 路 很 直 。
jhè tiáo lù hěn jhíh
zhè　　　　　　zhí

This road is straight.

那條路是彎的。
nà tiáo lù shìh wan dě
　　　　shì wān de
That road is curvy.

你知道這條路通到那裡嗎？
nǐ jhih dào jhè tiáo lù tong dào nǎ lǐ mǎ
　　zhī　　zhè　　　tōng　　　　　ma
Do you know where this road leads to?

我昨天買了一條褲子。
wǒ zuó tian mǎi lě yì tiáo kù zih
　　　tiān　　le　　　　　zi
Yesterday I bought a pair of trousers.

我買的那條褲子是綠的。
wǒ mǎi dě nà tiáo kù zih shìh lyù de
　　　de　　　　　zi shì　　dě
The trousers I bought are green.

三　溫習 REVIEW

 甲：先生，請問到第一銀行怎麼走？

 乙：你先向右走，到十字路口左轉，然後再一直走，過兩個紅綠燈，就到中山北路了。

 甲：第一銀行在中山北路嗎？

 乙：是的，在一家百貨公司對面。

 甲：我知道了，那家百貨公司很大。

 乙：不過，過馬路要小心，那條路上車子很多。

 甲：好的，我走地下道，謝謝你。

四 應用 EXTENDED PRACTICE

甲：請問遠東百貨公司在那裡？
cǐng wùn yuǎn dong bǎi huò gong sih zài nǎ lǐ
qǐng wèn　　dōng　　　gōng sī
Please tell me where the Far Eastern Department Store is.

乙：遠東百貨公司在中華路。
yuǎn dong bǎi huò gong sih zài jhong huá lù
　　dōng　　　gōng sī　zhōng
It's on Jhong-hua Road.

甲：你知道怎麼走嗎？
nǐ jhih dào zěn mě zǒu mǎ
zhī　　　me　　ma
Do you know how I can get there?

乙：你從這裡向前一直走，到第二個
nǐ cóng jhè lǐ siàng cián yì jhíh zǒu　dào dì èr gè
　　　zhè　xiàng qián　zhí　　　　　　ge

十字路口的時候過馬路就到了。
shíh zìh lù kǒu dě shíh hòu guò mǎ lù jiòu dào lě
shí zì　　　de　shí　　　　　　jiù　　　le
Go straight ahead to the second intersection, cross the street, and you will see it.

甲：遠東百貨公司就在十字路口嗎？
yuǎn dong bǎi huò gong sih jiòu zài shíh zìh lù kǒu mǎ
　　dōng　　　gōng sī jiù　　shí zì　　　　ma
Is the Far Eastern Department Store at the intersection?

乙：是的，就在十字路口，那裡車子很多，
shìh dě　　jiòu zài shíh zìh lù kǒu　nà lǐ che zih hěn duo
shì de　　jiù　　shí zì　　　　　chē zi　　duō

過馬路要小心。
guò mǎ lù yào siǎo sin
　　　　　　xiǎo xīn
Yes, right at the intersection. There are many cars there. Be careful when you cross the street.

甲：我會留意紅綠燈的，謝謝你。
wǒ huèi lióu yì hóng lyù deng dě　siè siè nǐ
　hùi líu　　　　　　dēng de　xiè xie
I'll heed the red light. Thank you.

中英文版

第二十八課　買衣服
Lesson 28　　　　　　　　Buying Clothes

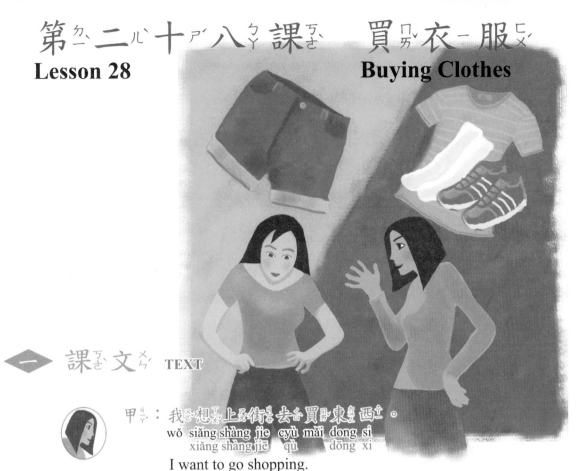

一　課文 TEXT

甲：我想上街去買東西。
wǒ siǎng shàng jie cyù mǎi dong si
　　xiǎng shàng jie 　 qù 　 dōng xi

I want to go shopping.

乙：你想買什麼？
nǐ siǎng mǎi shé mě
　 xiǎng 　　 me

What do you want to buy?

甲：我想買一雙鞋子，兩雙襪子。
wǒ siǎng mǎi yì shuang sié zih 　 liǎng shuang wà zih
　 xiǎng 　　　 shuāng xié zi 　　　 shuāng 　 zi

同時想買一套運動衣。
tóng shíh siǎng mǎi yí tào yùn dòng yi
　 shí xiǎng 　　　　　　　　　 yī

I would like to buy a pair of shoes, two pairs of socks, and some sportswear.

乙：正好我也想買一條運動褲。
jhèng hǎo wǒ yě siǎng mǎi yì tiáo yùn dòng kù
zhèng 　　　　 xiǎng

I'm going to buy a pair of sport pants too.

甲：你要買什麼牌子的？
nǐ yào mǎi shé mě pái zih dě
　　　　　 me 　 zi de

What brand would you buy?

乙：什麼牌子都可以。
shé mě pái zih dou kě yǐ
　 me 　 zi dōu

Any brand will do.

甲：那麼我們到百貨公司看看。
nà me wǒ men dào bǎi huò gong sih kàn kàn
　　me　　men　　　　　　gōng sī
Then let's go to the department stores.

乙：百貨公司正在打折。
bǎi huò gong sih jhèng zài dǎ jhé
　　　gōng sī zhèng　　　zhé
Yes, many are giving discounts.

甲：名牌衣服也打折嗎？
míng pái yi fú yě dǎ jhé mǎ
　　　　yī　　　　zhé ma
Are discounts also being given on name-brands?

乙：名牌衣服打八折。
míng pái yi fú dǎ ba jhé
　　　　yī　　　bā zhé
20% discounts are being offered on name-brands.

甲：那也便宜不少。
nà yě pián yí bù shǎo
That's not too bad.

二 字與詞 WORDS AND PHRASES

雙（ㄕㄨㄤ；shuang/shuāng） pair, couple, two
雙：ノイイ俨俨俨佳佳隹隹隹隹隹隹隹雙雙

雙親
shuang cin
shuāng qīn
parents

雙手
shuang shǒu
shuāng
both hands

雙手萬能
shuang shǒu wàn néng
shuāng
With two hands, one can work miracles.

雙雙對對
shuang shuang duèi duèi
shuāng shuāng dùi dùi
Pairs and couples, twos by twos.

一雙鞋子
yì shuang sié zih
　　shuāng xié zi
a pair of shoes

一雙襪子
yì shuang wà zih
shuāng   zi
a pair of socks

鞋（ㄒㄧㄝˊ；sié/xié）shoe

鞋： 一 十 廿 廾 苷 苦 草 革 革 革 鞋 鞋 鞋 鞋

鞋子
sié zih
xié zi
shoe

皮鞋
pí sié
xié
leather shoe

布鞋
bù sié
xié
canvas shoe

球鞋
cióu sié
qíu xié
tennis shoe

運動鞋
yùn dòng sié
xié
sports shoe

襪（ㄨㄚˋ；wà）sock

襪： 丶 ㄱ ㄔ ㄔ ネ ネ ネ 衤 衤 衤 襪 襪 襪 襪 襪 襪 襪 襪

一雙襪子
yì shuang wà zih
shuāng   zi
a pair of socks

媽媽給我買了一雙紅襪子。
ma mǎ gěi wǒ mǎi lě yì shuang hóng wà zih
mā ma   le   shuāng   zi
My mother bought a pair of red socks for me.

那雙綠襪子是誰的？
nà shuang lyù wà zih shìh shéi dě
shuāng   zi shì   de
Whose pair of green socks are those?

昨天我買了一雙毛襪。
zuó tian wǒ mǎi lê yì shuang máo wà
　　tiān　　 le 　 shuāng
Yesterday I bought a pair of wool socks.

套（ㄊㄠˋ；tào）set, suit
套：一ナ大太夲本套套套套

一套衣服
yí tào yi fú
　　　 yī
a suit

一套書
yí tào shu
　　 shū
a set of books

一套杯子
yí tào bei zih
　　 bēi zi
a set of cups

你這套衣服很好看。
nǐ jhè tào yi fú hěn hǎo kàn
　 zhè　　 yī
Your suit is very attractive.

這是一套什麼書？
jhè shih yí tào shé mě shu
zhè shì　　　 me shū
What kind of books are in this set?

運（ㄩㄣˋ；yùn）move, transport
運：丶㇇㇇㇇冃冒冒軍軍運運運

運東西
yùn dong si
　 dōng xi
to transport goods

這些東西是從那裡運來的？
jhè sie dong si shìh cóng nǎ lǐ yùn lái dě
zhè xiē dōng xi shì　　　　　　　　 de
From where were these goods transported?

動（ㄉㄨㄥˋ；dòng）move
動：㇒䒑千千舌舌重重動動

上課的時候別動來動去。
shàng kè dě shíh hòu bié dòng lái dòng cyù
　　　　de shí　　　　　　　　　　qù

Don't fidget in class.

小孩子一天到晚動來動去也不累。
siǎo hái zih yì tian dào wǎn dòng lái dòng cyù yě bú lèi
xiǎo　　zi　tiān　　　　　　　　　　qù

Children run around all the time, and they never get tired.

你喜歡運動嗎？
nǐ sǐ huan yùn dòng mǎ
　　xǐ huān　　　　ma

Do you like to exercise?

你喜歡什麼運動？
nǐ sǐ huan shé mě yùn dòng
　　xǐ huān　me

What kind of sports do you like?

我們學校明天舉行運動會。
wǒ měn syué siào míng tian jyǔ síng yùn dòng huèi
　men xué xiào　　tiān yǔ xíng　　　　hùi

We are going to hold an athletic meet tomorrow.

運動場上有很多人。
yùn dòng chǎng shàng yǒu hěn duo rén
　　　　　　　　　　　　duō

There are many people on the playground.

衣服（ㄧㄈㄨˊ；yi/yī fú）clothes

衣：丶亠ナ才衣衣

服：丿刀月月月'刖肥服服

運動衣（運動服）
yùn dòng yi　　yùn dòng fú
　　　　yī

sportswear

上衣
shàng yi
　　yī

upper garment; top

西服
si fú
xī

western suit

我買了一套運動服。
wǒ mǎi lě yí tào yùn dòng fú
　　　le

I bought a sweatsuit.

這件上衣很好看。
jhè jiàn shàng yi hěn hǎo kàn
zhè jiàn yī

This top looks pretty.

那套西服一定很貴吧。
nà tào si fú yí dìng hěn guèi bå
xī gùi ba

That suit must be very expensive.

我每天早上洗衣服。
wǒ měi tian zǎo shàng sǐ yi fú
tiān xǐ yī

I wash clothes every morning.

他喜歡紅色的衣服。
ta sǐ huan hóng sè dě yi fú
tā xǐ huān de yī

She likes red clothes.

褲（ㄎㄨˋ；kù）pants, trousers

褲：丶ㄱㄋㄤㄤ衤衤衤衤衤衤衤衤衤褲

褲子
kù zih
zi

trousers, pants

長褲
cháng kù

trousers, long pants

短褲
duǎn kù

shorts, short pants

運動褲
yùn dòng kù

sportslacks

我想去買一條長褲。
wǒ siǎng cyù mǎi yì tiáo cháng kù
xiǎng qù

I want to buy a pair of long trousers.

牌（ㄆㄞˊ；pái）brand, plate

牌：丿丿丿牜片片片片牉牌牌牌牌牌

你的衣服是什麼牌子的？
nǐ dě yi fú shìh shé me pái zih dě
de yī shì me zi de

What brand is your outfit?

這枝筆是什麼牌子的？
jhè jhih bǐ shìh shé mě pái zih dè
zhè zhī shì me zi de
What brand is this pen?

你家門牌幾號？
nǐ jia mén pái jǐ hào
jiā
What number is on your door plate?

你的車牌是幾號？
nǐ dě che pái shìh jǐ hào
de chē shì
What is your car license number?

名（ㄇㄧㄥˊ；míng）name, famous

名：ㄧ ㄅ ㄅ ㄅ 名 名

我姓李名字叫大年。
wǒ sìng Lǐ míng zìh jiào dà nián
xìng zì
My last name is Li. My personal name is Da-nian.

他叫什麼名字？
ta jiào shé mě míng zìh
tā me zì
What is his name?

他的名字叫錢念祖。
ta dě míng zìh jiào Cián niàn zǔ
tā de zì Qián
His name is Chian Nian-zu.

他很有名。
ta hěn yǒu míng
tā
He is very famous.

他是一位很有名的老師。
ta shìh yí wèi hěn yǒu míng dě lǎo shih
tā shì de shī
He is a famous teacher.

這種牌子很有名。
jhè jhǒng pái zih hěn yǒu míng
zhè zhǒng zi
This brand is very famous.

正（ㄓㄥˋ；jhèng/zhèng）just, right, (now) ,

正：ㄧ ㄒ ㄒ 正 正

他現在正在寫字。
ta siàn zài jhèng zài siě zìh
tā xiàn zhèng xiě zì
He is writing right now.

我正在教書。
wǒ jhèng zài jiao shu
zhèng jiāo shū
I am teaching right now.

我們正在學中文。
wǒ mén jhèng zài syué jhong wún
men zhèng xué zhōng wén
We are learning Chinese right now.

現在正好十點，我們該下課了。
siàn zài jhèng hǎo shíh diǎn wǒ mén gai sià kè lê
xiàn zài zhèng shí men gāi xià le
It's ten o'clock sharp. Let's dismiss the class.

他到我家來的時候，我正好出去了。
ta dào wǒ jia lái dě shíh hòu wǒ jhèng hǎo chu cyù lê
tā jiā de shí zhèng chū qù le
When he came to my house, I was just going out.

折（ㄓㄜˊ；jhé/zhé）break, discount, bend, fold

折：一 十 扌 扩 折 折

這件衣服折得很好。
jhè jiàn yi fú jhé dě hěn hǎo
zhè yī zhé de
These clothes were folded well.

這張紙是誰折的？
jhè jhang jhǐh shìh shéi jhé dě
zhè zhāng zhǐ shì zhé de
Who folded this paper?

百貨公司正在打折。
bǎi huò gong sih jhèng zài dǎ jhé
gōng sī zhèng zhé
The department stores are offering discounts.

衣服打幾折？
yi fú dǎ jǐ jhé
yī zhé
What discount is being given on clothing?

有的打八折，有的打六折。
yǒu dě dǎ ba jhé yǒu dě dǎ liòu jhé
de bā zhé de liù zhé
Some are giving a 20% discount, some 40% .

有時候百貨公司會打對折。
yǒu shíh hòu bǎi huò gong sih huèi dǎ duèi jhé
shí gōng sī hùi dùi zhé
Sometimes department stores give a 50% discount.

不要因為打折，就買很多沒有用的東西。
bú yào yin wèi dǎ jhé　jiòu mǎi hěn duo méi yǒu yòng dě dong si
　　yīn　 zhé　 jiù　　 duō　　　　　　 de dōng xi

Don't buy trash just because of a discount.

三　溫習 REVIEW

 甲：我想上街去買東西。

 乙：你想買什麼？

 甲：我想買一雙鞋子，兩雙襪子，同時想買一套運動衣。

 乙：正好我也想買一條運動褲。

 甲：你要買什麼牌子的？

 乙：什麼牌子都可以。

 甲：那麼我們到百貨公司看看。

 乙：百貨公司正在打折。

 甲：名牌的衣服也在打折嗎？

 乙：名牌衣服打八折。

 甲：那也便宜不少。

四 應用 EXTENDED PRACTICE

甲：你這雙運動鞋是什麼牌子的？

nǐ jhè shuang yùn dòng sié shìh shé me pái zih dě
　　zhè shuāng　　　　xié shì　　me　　zi de

What brand is this pair of shoes?

乙：是大同牌的。

shìh dà tóng pái dě
shì　　　　　　de

It's Da-tong.

甲：這個牌子很有名。

jhè gě pái zih hěn yǒu míng
zhè ge　　zi

This brand is very well- known.

乙：是的。

shìh dě
shì de

Yes.

甲：很多人喜歡用名牌的東西。

hěn duo rén sǐ huan yòng míng pái dě dong si
　　duō　　xǐ huān　　　　　　de dōng xi

Many people like things with famous brands.

乙：名牌的東西做得好。

míng pái dě dong si zuò dě hǎo
　　　　de dōng xi　　de

Goods with famous brands are often made of good quality.

甲：可是太貴了。

kě shìh tài guèi lě
　　shì　　gùi le

But they are very expensive.

乙：貴是貴，可是不容易壞，同時也好看些。

guèi shìh guèi　kě shìh bù róng yì huài　tóng shíh yě hǎo kàn sie
gùi shì gùi　　　shì　　　　　　　　　shí　　　　　　　xiē

Well, they are expensive, but they endure longer, and also have better shapes.

甲：你這雙鞋子是不錯。

nǐ jhè shuang sié zih shìh bú cuò
　zhè shuāng xié zi shì

Your shoes look great.

乙：下次打折，你也去買一雙吧！

sià cìh dǎ jhé　nǐ yě cyù mǎi yì shuang bǎ
xià cì　　zhé　　　　　qù　　　shuāng ba

Next time there is a discount, you should buy a pair for yourself.

甲：好的。

hǎo dě
　　de

All right.

中英文版

第二十九課　到海邊去
Lesson 29　Going to the Seashore

一　課文　TEXT

甲：我們去看電影，好嗎？
wǒ mén cyù kàn diàn yǐng hǎo mǎ
　　 men qù　　　　　　　　 ma

Let's go to the movies, OK?

乙：今天是星期天，電影票不好買。
jin tian shìh sing cí tian diàn yǐng piào bù hǎo mǎi
jīn tiān shì xīng qí tiān

Today is Sunday. It might be difficult to get a ticket.

甲：那麼到海邊去玩。
nà me dào hǎi bian cyù wán
　　 me　　　　 biān qù

Then, let s go to the seaside.

乙：對，海邊不但風景好，而且還可以游泳。
duèi hǎi bian bú dàn feng jǐng hǎo ér ciě hái kě yǐ yóu yǒng
dùi　　 biān　　　 fēng　　　　 qiě

Yes, at the seaside we can enjoy pleasant scenery and swimming, too.

甲：我們怎麼去？
wǒ mén zěn me cyù
　　 men　　 me qù

How do we get there?

乙：我們坐公共汽車去。
wǒ mén zuò gong gòng cì che cyù
　　 men　　 gōng　　 qì chē qù

Let's take a bus.

甲：車票一張多少錢？
che piào yì jhang duo shǎo cián
chē　　　 zhāng duō　　 qián

How much is a bus ticket?

乙：一張十五塊錢。
yì jhang shíh wǔ kuài cián
   zhāng shí   qián
Fifteen NT dollars a piece.

甲：那不算貴。
nà bú suàn guèi
           gùi
That's quite cheap.

乙：我們現在就走吧！
wǒ mên siàn zài jiòu zǒu bǎ
    men xiàn   jiù   ba
Let's go now.

甲：別忘了帶游泳衣。
bié wàng lê dài yóu yǒng yi
        le   yī
Don't forget your swimming suit.

二 字與詞 WORDS AND PHRASES

影（一ㄥˇ；yǐng）shade
影：丶 冂 日 日 旦 旱 杲 景 景 景 景 影 影 影

影子
yǐng zih
   zi
shadow

電影
diàn yǐng
movie

影響
yǐng siǎng
     xiǎng
influence

我不常看電影。
wǒ bù cháng kàn diàn yǐng
I don't go to the movies often.

這件事影響很大。
jhè jiàn shìh yǐng siǎng hěn dà
zhè   shì   xiǎng
This matter has great impact.

票（ㄆㄧㄠˋ；piào）ticket
票：一 一 厂 而 两 两 西 覀 票 票 票

電影票
diàn yǐng piào
movie ticket

車票
che piào
chē
bus ticket

船票
chuán piào
boat ticket

飛機票
fei ji piào
fēi jī
airplane ticket

門票
mén piào
entrance ticket

鈔票
chao piào
chāo
money

學生票
syué sheng piào
xué shēng
student ticket

兒童票
ér tóng piào
children's ticket

全票
cyuán piào
quán
full-price ticket

半票
bàn piào
half-price ticket

海（ㄏㄞˇ；hǎi）sea
海：丶丶氵氵汇汇海海海海

黃海
huáng hǎi
Yellow sea

南海
nán hǎi
South sea

海邊
hǎi bian
    biān
seashore

海水
hǎi shuěi
sea water

邊（ㄅㄧㄢ；bian/biān）side, edge
邊： ＇ ＇ ㄅ 白 白 白 白 皀 皀 皀 皀 皀 皇 臯 臱 遵 邊 邊

旁邊
páng bian
     biān
side

左邊
zuǒ bian
    biān
left side

右邊
yòu bian
    biān
right side

河邊
hé bian
   biān
river side

海邊
hǎi bian
    biān
seaside

我家旁邊有一條河。
wǒ jia páng bian yǒu yì tiáo hé
   jiā   biān
There is a river next to my house.

河邊有一棵樹。
hé bian yǒu yì ke shù
   biān   kē
There is a tree by the river.

我們小的時候常在樹下一邊唱歌一邊跳舞。
wǒ men siǎo dě shíh hòu cháng zài shù sià yì bian chàng ge yì bian tiào wǔ
   men xiǎo de shí   xià   biān   gē   biān
We often sang and danced under the trees when we were little children.

風（ㄈㄥ；feng/fēng）wind

風：丿 几 凡 凡 凤 凨 風 風 風

海邊風很大。
hǎi bian feng hěn dà
　　biān fēng
The wind at the seaside is strong.

海風很涼快。
hǎi feng hěn liáng kuài
　　fēng
The sea wind is cool.

北風很冷。
běi feng hěn lěng
　　fēng
The north wind is cold.

東南風很暖和。
dong nán feng hěn nuǎn huo
dōng　　　fēng
The southeast wind is warm.

景（ㄐㄧㄥˇ；jǐng）scenery

景：丶 口 曰 曰 旦 旱 暑 昌 景 景 景

海邊的風景很好。
hǎi bian dě feng jǐng hěn hǎo
　　biān de fēng
The scenery at the seaside is pretty.

山上的風景也很好。
shan shàng dě feng jǐng yě hěn hǎo
shān　　　de fēng
The scenery on the mountain is also pretty.

我很喜歡台灣的風景。
wǒ hěn sǐ huan tái wan dě feng jǐng
　　　xǐ huān　　wān de fēng
I like Taiwan's scenery very much.

游泳（ㄧㄡˊ ㄩㄥˇ；yóu yǒng）swim

游：丶 丶 氵 氵 汸 汸 汸 游 游 游 游

泳：丶 丶 氵 氵 汀 汈 汈 泳 泳

游泳衣
yóu yǒng yi
　　　yī
swimming suit

游泳褲
yóu yǒng kù
swim trunks

游泳池
yóu yǒng chíh
chí

swimming pool

你會游泳嗎？
nǐ huèi yóu yǒng ma
hùi ma

Can you swim?

我游得很好。
wǒ yóu dě hěn hǎo
de

I swim very well.

我每天早上到游泳池游泳。
wǒ měi tian zǎo shàng dào yóu yǒng chíh yóu yǒng
tiān chí

I go swimming in the pool every morning.

你每次游多遠？
nǐ měi cìh yóu duo yuǎn
cì duō

How far do you swim each time?

我每次游兩千公尺。
wǒ měi cìh yóu liǎng cian gong chǐh
cì qiān gōng chǐ

I swim 2000 meters each time.

但（ㄉㄢˋ；dàn）but

但：ノ イ 仃 们 但 但 但

但是
dàn shìh
shì

but

不但⋯而且
bú dàn ér ciě
qiě

not only... but also

我們游泳，但是游得不好。
wǒ měn yóu yǒng dàn shìh yóu dě bù hǎo
men shì de

I can swim, but not very well.

他很聰明，但是不用功。
ta hěn cong míng dàn shìh bú yòng gong
tā cōng shì gōng

He is very smart, but not very diligent.

他不但會畫畫，而且會唱歌。
ta bú dàn huèi huà huà ér ciě huèi chàng ge
tā hùi qiě hùi gē

He not only paints but also sings.

而且（ㄦˊ ㄑㄧㄝˇ；ér ciě/qiě）but also

而：一ㄣ厂厂而而而

且：| 刀刀月且且

不但…而且
bú dàn ér ciě
qiě

not only... but also

並且
bìng ciě
qiě

but also

他不但會說中文，並且會說日本話。
ta bú dàn huèi shuo jhong wún　bìng ciě huèi shuo rìh běn huà
tā　hùi shuō zhōng wén　qiě hùi shuō rì

He speaks not only Chinese, but also Japanese.

電影票不但難買，而且很貴。
diàn yǐng piào bú dàn nán mǎi　ér ciě hěn guèi
qiě gùi

Movie tickets are not only hard to get but also very expensive.

坐（ㄗㄨㄛˋ；zuò）sit, take

坐：ノ 人 从 从 丛 坐 坐

我坐得太久了。
wǒ zuò dě tài jiǒu le
de jiǔ lě

I have been sitting for too long.

坐久了很累。
zuò jiǒu lě hěn lèi
jiǔ le

Sitting too long makes one tired.

站著比坐著更累。
jhàn jhě bǐ zuò jhě gèng lèi
zhàn zhe zhe

Standing is more tiring than sitting.

我們坐什麼車去？
wǒ měn zuò shé mě che cyù
men me chē qù

Which transportation do we take to get there?

你坐過飛機嗎？
nǐ zuò guò fei ji mǎ
fēi jī ma

Have you taken an airplane?

汽（ㄑㄧˋ；cì/qì）steam, gas

汽：丶 氵 氵 氵 汽 汽 汽

汽油
cì yóu
qì
gasoline

汽車
cì che
qì chē
automobile

公共汽車
gong gòng cì che
gōng qì chē
public bus

坐公共汽車去，不但便宜而且方便。
zuò gong gòng cì che cyù bú dàn pián yí ér ciě fang biàn
gōng qì chē qù qiě fāng
It's not only cheap but also convenient to get there by public bus.

算（ㄙㄨㄢˋ；suàn）count, regard
算：⺮ ⺮ ⺮ 筲 筲 筲 筲 筲 筲 算 算

請你算一算一共多少。
cǐng nǐ suàn yí suàn yí gòng duo shǎo
qǐng duō
Please add it up and see how much it costs all together.

房租一個月兩千塊，可是水電費不算。
fáng zu yí gě yuè liǎng cian kuài kě shìh shuěi diàn fèi bú suàn
zū ge qiān shì shuǐ
The rent is $2000 a month, but the electricity and water bills are not included.

一個月兩千塊，不算便宜。
yí gě yuè liǎng cian kuài bú suàn pián yí
ge qiān
$2000 a month is not (regarded as) cheap.

這個問題不算難。
jhè gě wùn tí bú suàn nán
zhè ge wèn
This problem is not difficult.

他說話不算快。
ta shuo huà bú suàn kuài
tā shuō
He does not talk fast.

帶（ㄉㄞˋ；dài）bring , take
帶：一 十 卅 卅 卅 卅 卅 帶 帶 帶

你帶錢了沒有？
nǐ dài cián lě méi yǒu
qián le
Have you brought money?

那本書帶來了沒有？
nà běn shu dài lái le méi yǒu
　　　shū　　　　le
Have you brought the book?

別帶小孩子去看電影。
bié dài siǎo hái zih cyù kàn diàn yǐng
　　　xiǎo　　zi qù
Don't take children to the movies.

到海邊去應該帶些什麼？
dào hǎi bian cyù ying gai dài sie shé me
　　　biān qù yīng gāi　xiē　　me
What should we take to the seaside?

到海邊記得帶游泳衣。
dào hǎi bian jì de dài yóu yǒng yi
　　　biān de　　　　　yī
Remember to bring your swimming suit.

上課別忘了帶筆。
shàng kè bié wàng le dài bǐ
　　　　　　le
Don't forget to bring your pen to class.

三 溫習 REVIEW

甲：我們去看電影好嗎？

乙：今天是星期天，電影票不好買。

甲：那麼到海邊去玩。

乙：對，海邊不但風景好，而且還可以游泳。

甲：我們怎麼去？

乙：我們坐公共汽車去。

甲：車票一張多少錢？

乙：一張十五塊錢。

甲：那不算貴。

乙：我們現在就走吧！

甲：別忘了帶游泳衣。

◆四◆ 應用 EXTENDED PRACTICE

甲：海邊的風景真好。
hǎi bian dě feng jǐng jhen hǎo
    biān de fēng   zhēn
The scenery at the seaside is very pretty.

乙：下星期我們再去游泳。
sià sing cí wǒ mén zài cyù yóu yǒng
xià xīng qí   men   qù
Let's go swimming again next week.

甲：下星期我想去看電影。
sià sing cí wǒ siǎng cyù kàn diàn yǐng
xià xīng qí   xiǎng qù
Next week I would like to see a movie.

乙：聽說那部電影很長。
ting shuo nà bù diàn yǐng hěn cháng
tīng shuō
I heard that it takes a long time to see the movie.

甲：一邊吃東西一邊看，不是也很有意思嗎？
yì bian chih dong si yì bian kàn   bú shìh yě hěn yǒu yì sih mǎ
   biān chī dōng xi   biān   shì   si ma
We can bring something to eat while we watch the movie. Won't that be fun?

乙：可是坐得太久，會很累的。
kě shìh zuò dě tài jiǒu huèi hěn lèi dě
   shì   de jiǔ   hùi   de
But sitting so long will be tiring.

甲：不會的，聽說那部電影不但好看，而且歌
bú huèi dě   ting shuo nà bù diàn yǐng bú dàn hǎo kàn   ér ciě ge
   hùi de   tīng shuō   qiě gē

也好聽，你會覺得時間過得很快。
yě hǎo ting   nǐ huèi jyué dě shíh jian guò dě hěn kuài
      tīng   hùi jué de shí jiān   de
Not really, I heard that the movie not only has a good story, but good songs too.
You will find that the time will pass very quickly.

乙：那麼我們早點去買票。
nà mě wǒ mén zǎo diǎn cyù mǎi piào
   me   men   qù
Well, let's get there a little earlier to buy our tickets.

第三十課　孩子多大了？
Lesson 30　　How Old Are Your Children?

 課文　TEXT

 甲：李先生結婚了沒有？
　　Lǐ sian sheng jié hun le méi yǒu
　　　　xiān shēng 　　 hūn le
　　Is Mr. Li married?

 乙：早結婚了，孩子都長得比他高了。
　　zǎo jié hun le 　　hái zih dou jhǎng de bǐ ta gao le
　　　　　 hūn le 　　　 zi dōu zhǎng de 　　 tā gāo le
　　He married a long time ago.　His children are taller than he is.

 甲：他的孩子多大了？
　　ta de hái zih duó dà le
　　tā de 　 zi
　　How old are his children?

 乙：兒子十三歲了，女兒比較小，才五歲。
　　ér zih shíh san suèi le 　nyǔ ér bǐ jiào siǎo 　cái wǔ suèi
　　　 zi shí sān sùi le 　　　　　 xiǎo 　　　　sùi
　　His son is 13 years old, and his daughter is only five.

 甲：他的女兒長得怎麼樣？
　　ta de nyǔ ér jhǎng de zěn me yàng
　　tā de 　　　 zhǎng de 　me
　　What is his daughter like?

 乙：長得很像他太太，眼睛大大的，頭髮長長的。
　　jhǎng de hěn siàng ta tài tài 　yǎn jing dà dà de 　tóu fǎ cháng cháng de
　　zhǎng de 　　 xiàng tā 　tai 　　　 jīng 　　 de
　　She looks like his wife, with big eyes and long hair.

甲：一定很漂亮。
　　yí dìng hěn piào liàng
　　She must be very pretty.

乙：非常漂亮，就是笑起來少了一顆大門牙。
　　fei cháng piào liàng　jiòu shìh siào cǐ lái shǎo lě yì ke dà mén yá
　　fēi　　　　　　　　　jiù shì xiào qǐ　　le　　kē
　　Yes, very pretty. But when she laughs, one tooth is missing.

甲：那才更可愛呢。
　　nà cái gèng kě ài ně
　　　　　　　　　　ne
　　That makes her even cuter.

 字與詞 WORDS AND PHRASES

結（ㄐㄧㄝˊ；jié）tie, knot, bear fruit

結：ㄥ ㄥ ㄥ ㄥ ㄥ ㄥ 糹 紀 紀 結 結 結

結果
jié guǒ
bear fruit

結實
jié shíh
　　shí
bear fruit

中國結
jhong guó jié
zhōng
Chinese knot

結婚（ㄐㄧㄝˊ ㄏㄨㄣ；jié hun/ hūn）marry

婚：ㄥ ㄥ ㄥ 女 妌 妌 妌 娇 娇 婚 婚

他結婚了沒有？
ta jié hun lě méi yǒu
tā　　hūn le
Is he married?

他跟誰結婚了。
ta gen shéi jié hun lě
tā gēn　　　hūn le
Who is he married to?

他結婚多久了？
ta jié hun duo jiǒu lě
tā　　hūn duō jiǔ le
How long has he been married?

長（ㄔㄤˊ ㄓㄤˇ；cháng jhǎng/zhǎng）long, grown up

長：一 ㄏ ㄏ ㄐ 丐 丐 長 長

這條路很長。
jhè tiáo lù hěn cháng
zhè

This road is long.

這個句子很長。
jhè gè jyù zih hěn cháng
zhè ge jù zi

This sentence is long.

這件衣服比那件長。
jhè jiàn yi fú bǐ nà jiàn cháng
zhè yī

This dress is longer than that one.

他的孩子都長大了。
ta dě hái zih dou jhǎng dà lě
tā de zi dōu zhǎng le

His children are all grown up.

兒子長得很像爸爸。
ér zih jhǎng dě hěn siàng bà bǎ
zi zhǎng de xiàng ba

The son looks like the father.

女兒長得很好看。
nyǔ ér jhǎng dě hěn hǎo kàn
zhǎng de

The daughter is beautiful.

高（ㄍㄠ；gao/gāo）tall, high

高：　亠　宁　产　高　高　高　高　高

這棵樹很高。
jhè ke shù hěn gao
zhè kē gāo

This tree is tall.

哥哥高，妹妹矮。
ge gě gao mèi měi ǎi
gē ge gāo mei

The brother is tall, and the sister is short.

兒子長得比爸爸高了。
ér zih jhǎng dě bǐ bà bǎ gao lě
zi zhǎng de ba gāo le

The son is taller than the father.

他的鼻子很高。
ta dě bí zih hěn gao
tā de zi gāo

His nose is high.

比較（ㄅㄧˇ ㄐㄧㄠˋ；bǐ jiào）compare

較：　一　ㄅ　ㄇ　ㄇ　百　旦　車　車　車　車　車　較　較

這兩件事很難比較。
jhè liǎng jiàn shìh hěn nán bǐ jiào
zhè   shì

It s hard to compare the two.

哥哥比較聰明。
ge gě bǐ jiào cong míng
gē ge   cōng

The older brother is smarter.

妹妹比較漂亮。
mèi měi bǐ jiào piào liàng
mei   liàng

The younger sister is prettier.

我比較喜歡看電影。
wǒ bǐ jiào sǐ huan kàn diàn yǐng
            xǐ huān

I prefer to see movies.

他比較喜歡游泳。
ta bǐ jiào sǐ huan yóu yǒng
tā   xǐ huān

He prefers to go swimming.

樣（一尢ㄟ；yàng）appearance, look, style, kind

樣：一 十 才 木 杧 杧 样 样 样 様 様 様 様 様

這件衣服的樣子很好看。
jhè jiàn yi fú dě yàng zǐh hěn hǎo kàn
zhè   yī   de   zi

The dress looks attractive.

她的樣子像媽媽。
ta dě yàng zih siàng ma ma
tā de   zi xiàng mā mǎ

She looks like her mother.

你的鞋子跟我的一樣。
nǐ dě sié zih gen wǒ dě yí yàng
        xié zi gēn   de

Your shoes are like mine.

你的中文學得怎麼樣了？
nǐ dě jhong wún syué dě zěn mě yàng lě
      de zhōng wén xué de   me   le

How is your Chinese?

你現在怎麼樣？忙不忙？
nǐ siàn zài zěn mě yàng máng bù máng
   xiàn   me

How are you? Are you busy?

眼睛（一ㄢˇ ㄐㄧㄥ；yǎn jing/ jīng）eye

他的眼睛很大。

ta dě yǎn jing hěn dà
tā de jīng

His eyes are big.

他的眼睛很亮。

ta dě yǎn jing hěn liàng
tā de jīng

His eyes are bright.

他的眼睛長得像媽媽。

ta dě yǎn jing jhǎng dě siàng ma mǎ
tā de jīng zhǎng de xiàng mā ma

His eyes look like his mother's.

他的眼睛很好，他不用眼鏡。

ta dě yǎn jing hěn hǎo ta bú yòng yǎn jìng
tā de jīng tā

His eyes are very good. He doesn't need glasses.

頭髮（ㄊㄡˊ ㄈㄚˇ；tóu fǎ）hair

髮：一 厂 厂 匞 長 長 髟 髟 髟 髟 髮 髮

他的頭髮長。

ta dě tóu fǎ cháng
tā de

His hair is long.

我的頭髮短。

wǒ dě tóu fǎ duǎn
de

My hair is short.

高先生的頭髮很黑。

Gao sian sheng dě tóu fǎ hěn hei
Gāo xiān shēng de hēi

Mr. Gau's hair is black.

李先生的頭髮白了。

Lǐ sian sheng dě tóu fǎ bái le
xiān shēng de le

Mr. Li's hair has turned white.

亮（ㄌㄧㄤˋ；liàng）bright

亮：ˋ 亠 亠 亠 亠 亠 高 亭 亮

他的眼睛很亮。

ta dě yǎn jing hěn liàng
tā de jīng

His eyes are bright.

這間屋子很亮。

jhè jian wu zih hěn liàng
zhè jiān wū zi

The room is bright.

這個燈很亮。
jhè gè deng hěn liàng
zhè ge dēng
The light is bright.

漂亮（ㄆㄧㄠˋ ㄌㄧㄤˋ；piào liàng）pretty
漂：丶丶冫汀汀汀汀汧湮湮湮漂漂漂

長頭髮很漂亮。
cháng tóu fǎ hěn piào liàng
Long hair is pretty.

這件衣服又漂亮又便宜。
jhè jiàn yi fú yòu piào liàng yòu pián yí
zhè   yī
This dress is pretty, but cheap.

笑（ㄒㄧㄠˋ；siào/xiào）laugh, smile
笑：丿⺮⺮⺮笑笑笑笑笑笑

有的小孩子愛笑，有的小孩子愛哭。
yǒu dě siǎo hái zih ài siào   yǒu dě siǎo hái zih ài ku
    de xiǎo   zi   siào   de xiǎo   zi   kū
Some children like to laugh. Some like to cry.

他笑起來很可愛。
ta siào cǐ lái hěn kě ài
tā xiào qǐ
When he smiles, he looks charming.

你笑什麼？
nǐ siào shé mě
   xiào   me
What are you laughing at?

我笑他少了一顆門牙。
wǒ siào ta shǎo lě yì ke mén yá
    xiào tā   le   kā
I'm laughing because he has one tooth missing.

別笑他，他會不高興的。
bié siào ta   ta huèi bù gao sìng dě
    xiào tā   tā hùi   gāo xìng de
Don't laugh at him. He won't like it.

門（ㄇㄣˊ；mén）door, gate
門：丨丨丨丨丨丨門門門

我家的門是紅的。
wǒ jia dě mén shìh hóng de
   jiā de   shì   dě
The door of my house is red.

學校門口有兩棵大樹。
syué siào mén kǒu yǒu liǎng ke dà shù
xué xiào mén kē

There are two big trees at the school gate.

牙（一ㄚˊ；yá）tooth

牙：一 厂 二 牙 牙

每個人應該有三十二顆牙。
měi gě rén yīng gai yǒu san shíh èr ke yá
ge yīng gāi sān shí kā

Everyone should have thirty-two teeth.

常常刷牙，牙齒才會好。
cháng cháng shua yá yá chǐh cái huèi hǎo
shuā chǐ hùi

If you brush your teeth often, your teeth will be healthy.

孩子五、六歲的時候就開始換牙了。
hái zih wǔ liòu suèi dě shíh hòu jiòu kai shǐh huàn yá lě
zi liù sùi de shí jiù kāi shǐ le

When children are five or six years old, they start to grow their permanent teeth.

他的門牙長得很好看。
ta dě mén yá jhǎng dě hěn hǎo kàn
tā de zhǎng de

His front teeth are attractive.

愛（ㄞˋ；ài）love, like

愛：一 ㇀ ㇇ ㇗ ㄠ ㄊ ㄊ 煞 煞 煞 夢 夢 愛

愛笑的孩子可愛。
ài siào dě hái zih kě ài
xiào de zi

Children who love to smile are cute.

愛哭的孩子不可愛。
ài ku dě hái zih bù kě ài
kū de zi

Children who love to cry are not cute.

小孩子愛吃糖。
siǎo hái zih ài chih táng
xiǎo zi chī

Children like to eat sugar.

你愛吃什麼？
nǐ ài chih shé me
chī me

What do you love to eat?

我愛吃中國菜。
wǒ ài chih jhong guó cài
chī zhōng

I love Chinese food.

我愛我的國家，愛我的家人，也愛我的朋友。
wǒ ài wǒ de guó jiā   ài wǒ de jiā rén   yě ài wǒ de péng yǒu
     de   jiā   de jiā   de

I love my country, my family and my friends.

 三　溫習 REVIEW

 甲：李先生結婚了沒有？

 乙：早結婚了，孩子都長得比他高了。

 甲：他的孩子多大了？

 乙：兒子十三歲了，女兒比較小，才五歲。

 甲：他的女兒長得怎麼樣？

 乙：長得很像他太太，眼睛大大的，頭髮長長的。

 甲：一定很漂亮。

 乙：非常漂亮，就是笑起來少了一顆大門牙。

 甲：那才更可愛呢。

四 應用 EXTENDED PRACTICE

甲：小王有女朋友了！
siǎo Wáng yǒu nyǔ péng yǒu le
xiǎo le
Little Wang has a girl friend.

乙：長得怎麼樣？
jhǎng dě zěn mě yàng
zhǎng de me
What is she like?

甲：長得很漂亮，眼睛大大的，頭髮長長的。
jhǎng dě hěn piào liàng yǎn jing dà dà dě tóu fǎ cháng cháng dě
zhǎng de jīng de
She's quite pretty. She has big eyes and long hair.

乙：高不高？
gao bù gao
gāo gāo
Is she tall?

甲：不太高，不過也不算矮。
bú tài gao bú guò yě bú suàn ǎi
gāo
Not very tall, but she's not short either.

乙：一定很可愛。
yí dìng hěn kě ài
She must be very lovely.

甲：是啊，小王很愛她。
shìh ǎ siǎo Wáng hěn ài ta
shì a xiǎo tā
Yes, little Wang loves her very much.

乙：他們快要結婚了嗎？
ta měn kuài yào jié hun le mǎ
tā men hūn le ma
Are they getting married soon?

甲：還沒有，她還不到二十歲，不想這麼早結婚。
hái méi yǒu ta hái bú dào èr shíh suèi bù siǎng jhè mě zǎo jié hun
tā shí sùi xiǎng zhè me hūn
Not yet, she's not twenty yet. They don't want to get married so soon.

生難字表　Vocabulary List

（中文左方的星號，代表本書出現的破音字。本書採通用拼音，以下生難字表除標注音符號外，另對照通用拼音及漢語拼音，簡稱「通用」、「漢語」。）

第一課

生難字	王 ㄨㄤ	李 ㄌㄧ	先 ㄒㄧㄢ	生 ㄕㄥ	太 ㄊㄞ	你 ㄋㄧ	您 ㄋㄧㄣ	好 ㄏㄠ
通　用	wáng	lǐ	sian	sheng	tài	nǐ	nín	hǎo
漢　語	wáng	lǐ	xiān	shēng	tài	nǐ	nín	hǎo

生難字	嗎 ㄇㄚ	我 ㄨㄛ	他 ㄊㄚ	她 ㄊㄚ	早 ㄗㄠ	很 ㄏㄣ	謝 ㄒㄧㄝ
通　用	mǎ	wǒ	ta	ta	zǎo	hěn	siè
漢　語	ma	wǒ	tā	tā	zǎo	hěn	xiè

第二課

生難字	忙 ㄇㄤ	呢 ㄋㄜ	不 ㄅㄨ	也 ㄧㄝ	們 ㄇㄣ	都 ㄉㄡ
通　用	máng	ně	bù	yě	měn	dou
漢　語	máng	ne	bù	yě	men	dōu

第三課

生難字	這 ㄓㄜ	是 ㄕ	那 ㄋㄚ	什 ㄕㄜ	麼 ㄇㄜ	枝 ㄓ	筆 ㄅㄧ	毛 ㄇㄠ
通　用	jhè	shìh	nà	shé	mě	jhih	bǐ	máo
漢　語	zhè	shì	nà	shé	me	zhī	bǐ	máo

生難字	本 ㄅㄣ	書 ㄕㄨ	中 ㄓㄨㄥ	文 ㄨㄣ
通　用	běn	shu	jhong	wún
漢　語	běn	shū	zhōng	wén

第四課

生難字	到 ㄉㄠ	去 ㄑㄩ	裡 ㄌㄧ	裏 ㄌㄧ	學 ㄒㄩㄝ	校 ㄒㄧㄠ	做 ㄗㄨㄛ	教 ㄐㄧㄠ
通　用	dào	cyù	lǐ	lǐ	syué	siào	zuò	jiao
漢　語	dào	qù	lǐ	lǐ	xué	xiào	zuò	jiāo

生難字	老 ㄌㄠ	師 ㄕ
通　用	lǎo	shih
漢　語	lǎo	shī

第五課

生難字	來	的	同	誰	華	人	民	國
通　用	lái	dě	tóng	shéi	huá	rén	mín	guó
漢　語	lái	de	tóng	shéi	huá	rén	mín	guó

生難字	台	灣	會	說	話	寫	字
通　用	tái	wan	huèi	shuo	huà	siě	zìh
漢　語	tái	wān	hùi	shuō	huà	xiě	zì

第六課

生難字	有	幾	個	十	大	小	孩	男
通　用	yǒu	jǐ	gě	shíh	dà	siǎo	hái	nán
漢　語	yǒu	jǐ	ge	shí	dà	xiǎo	hái	nán

生難字	女	吧	定	半
通　用	nyǔ	bǎ	dìng	bàn
漢　語	nǚ	ba	dìng	bàn

第七課

生難字	所	多	少	百	千	萬	零	真
通　用	suǒ	duo	shǎo	bǎi	cian	wàn	líng	jhen
漢　語	suǒ	duō	shǎo	bǎi	ciān	wàn	líng	jhēn

生難字	啊	沒	外
通　用	å	méi	wài
漢　語	a	méi	wài

第八課

生難字	比	還	跟	和	樣	*差	聰	明
通　用	bǐ	hái	gen	hàn	yàng	cha	cong	míng
漢　語	bǐ	hái	gēn	hàn	yàng	chā	cōng	míng

生難字	笨	用	功
通　用	bèn	yòng	gong
漢　語	bèn	yòng	gōng

第九課

生難字	請	問	貴	姓	叫	位	士	給
通 用	cǐng	wùn	guèi	sìng	jiào	wèi	shìh	gěi
漢 語	qǐng	wèn	gùi	xìng	jiào	wèi	shì	gěi

生難字	介	紹	高	興	認	識
通 用	jiè	shào	gao	sìng	rèn	shìh
漢 語	jiè	shào	gāo	xìng	rèn	shì

第十課

生難字	了	久	才	已	經	關	係	上
通 用	lě	jiǒu	cái	yǐ	jing	guan	sì	shàng
漢 語	le	jiǔ	cái	yǐ	jīng	guān	xì	shàng

生難字	年	月
通 用	nián	yuè
漢 語	nián	yuè

第十一課

生難字	星	期	次	每	鐘	時	候	午
通 用	sing	cí	cìh	měi	jhong	shíh	hòu	wǔ
漢 語	xīng	qí	cì	měi	zhōng	shí	hòu	wǔ

生難字	點	分	從	下	累	意	思
通 用	diǎn	fen	cóng	sià	lèi	yì	sih
漢 語	diǎn	fēn	cóng	xià	lèi	yì	si

第十二課

生難字	想	畫	*得	只	能	語	簡	唱
通 用	siǎng	huà	dě	jhǐh	néng	yǔ	jiǎn	chàng
漢 語	xiǎng	huà	de	zhǐ	néng	yǔ	jiǎn	chàng

生難字	歌	首	梅	花
通 用	ge	shǒu	méi	hua
漢 語	gē	shǒu	méi	huā

第十三課

生難字	前	天	昨	今	白	後	晚	間
通 用	cián	tian	zuó	jin	bái	hòu	wǎn	jian
漢 語	qián	tiān	zuó	jīn	bái	hòu	wǎn	jiān

生難字	空	事	號
通 用	kòng	shìh	hào
漢 語	kòng	shì	hào

第十四課

生難字	商	量	地	方	在	家	覺	隨
通 用	shang	liáng	dì	fang	zài	jia	jyué	suéi
漢 語	shāng	liáng	dì	fāng	zài	jiā	jué	súi

生難字	便	再	見
通 用	biàn	zài	jiàn
漢 語	biàn	zài	jiàn

第十五課

生難字	要	別	喜	歡	趣	練	習	應
通 用	yào	bié	sǐ	huan	cyù	liàn	sí	ying
漢 語	yào	bié	xǐ	huān	qù	liàn	xí	yīng

生難字	該	走	出	就	起
通 用	gai	zǒu	chu	jiòu	cǐ
漢 語	gāi	zǒu	chū	jiù	qǐ

第十六課

生難字	準	備	些	具	紙	墨	硯	買
通 用	Jhǔn	bèi	sie	jyù	jhǐh	mò	yàn	mǎi
漢 語	zhǔn	bèi	xiē	jù	zhǐ	mò	yàn	mǎi

生難字	賣	店	貨	公	司	街	東	西
通 用	mài	diàn	huò	gong	sih	jie	dong	si
漢 語	mài	diàn	huò	gōng	sī	jiē	dōng	xī

生難字	南	北						
通 用	nán	běi						
漢 語	nán	běi						

第十七課

生難字	錢	塊	元	角	種	宜	共	看
通 用	cián	kuài	yuán	jiǎo	jhǒng	yí	gòng	kàn
漢 語	qián	kuài	yuán	jiǎo	zhǒng	yí	gòng	kàn

生難字	對	換	開	找				
通 用	duèi	huàn	kai	jhǎo				
漢 語	dùi	huàn	kāi	zhǎo				

第十八課

生難字	現	快	慢	及	吃	飯	離	遠
通 用	siàn	kuài	màn	jí	chih	fàn	lí	yuǎn
漢 語	xiàn	kuài	màn	jí	chī	fàn	lí	yuǎn

生難字	近	路	車					
通 用	jìn	lù	che					
漢 語	jìn	lù	chē					

第十九課

生難字	迎	麻	煩	進	坐	兒	馬	回
通 用	yíng	má	fán	jìn	zuò	ér	mǎ	huéi
漢 語	yíng	má	fán	jìn	zuò	ér	mǎ	húi

生難字	讓	等	剛					
通 用	ràng	děng	gang					
漢 語	ràng	děng	gāng					

第二十課

生難字	山	水	幅	樹	石	鳥	隻	難
通 用	shan	shuěi	fú	shù	shíh	niǎo	jhih	nán
漢 語	shān	shǔi	fú	shù	shí	niǎo	zhī	nán

生難字	容	易	試
通用	róng	yì	shìh
漢語	róng	yì	shì

第二十一課

生難字	打	電	玉	班	闆	碼	查	朋
通用	dǎ	diàn	yù	ban	bǎn	mǎ	chá	péng
漢語	dǎ	diàn	yù	bān	bǎn	mǎ	chá	péng

生難字	友	放	心
通用	yǒu	fàng	sin
漢語	yǒu	fàng	sīn

第二十二課

生難字	內	台	臺	因	問	題	留	過
通用	nèi	tái	tái	yin	wùn	tí	lióu	guò
漢語	nèi	tái	tái	yīn	wèn	tí	líu	guò

第二十三課

生難字	通	講	壞	接	錯	洗	手	聽
通用	tong	jiǎng	huài	jie	cuò	sǐ	shǒu	ting
漢語	tōng	jiǎng	huài	jiē	cuò	xǐ	shǒu	tīng

生難字	鈴	聲	趕	掛	斷	告	訴
通用	líng	sheng	gǎn	guà	duàn	gào	sù
漢語	líng	shēng	gǎn	guà	duàn	gào	sù

第二十四課

生難字	住	*爸	父	親	*媽	母	*哥	*姊
通用	jhù	bà	fù	cin	ma	mǔ	ge	jiě
漢語	zhù	bà	fù	qīn	mā	mǔ	gē	jiě

生難字	*弟	*妹	租	房	口	念
通用	dì	mèi	zu	fáng	kǒu	niàn
漢語	dì	mèi	zū	fáng	kǒu	niàn

第二十五課

生難字	週ㄓㄡ	末ㄇㄛˋ	常ㄔㄤˊ	玩ㄨㄢˊ	客ㄎㄜˋ	氣ㄑㄧˋ	非ㄈㄟ	臥ㄨㄛˋ
通 用	jhou	mò	cháng	wán	kè	cì	fei	wò
漢 語	zhōu	mò	cháng	wán	kè	qì	fēi	wò

生難字	廳ㄊㄧㄥ	院ㄩㄢˋ	球ㄑㄧㄡˊ	址ㄓˇ
通 用	ting	yuàn	cióu	jhǐh
漢 語	tīng	yuàn	qíu	zhǐ

第二十六課

生難字	像ㄒㄧㄤ	直ㄓˊ	彎ㄨㄢ	轉ㄓㄨㄢˇ	左ㄗㄨㄛˇ	右ㄧㄡˋ	忘ㄨㄤ	記ㄐㄧ
通 用	siàng	jhíh	wan	jhuǎn	zuǒ	yòu	wàng	jì
漢 語	xiàng	zhí	wān	zhuǎn	zuǒ	yòu	wàng	jì

生難字	迷ㄇㄧ
通 用	mí
漢 語	mí

第二十七課

生難字	第ㄉㄧ	銀ㄧㄣˊ	*行ㄒㄧㄥ	向ㄒㄧㄤ	然ㄖㄢ	紅ㄏㄨㄥˊ	綠ㄌㄩ	燈ㄉㄥ
通 用	dì	yín	síng	siàng	rán	hóng	lyù	deng
漢 語	dì	yín	xíng	xiàng	rán	hóng	lyù	dēng

生難字	知ㄓ	道ㄉㄠ	條ㄊㄧㄠ
通 用	jhih	dào	tiáo
漢 語	zhī	dào	tiáo

第二十八課

生難字	雙ㄕㄨㄤ	鞋ㄒㄧㄝ	襪ㄨㄚ	套ㄊㄠ	運ㄩㄣ	動ㄉㄨㄥ	衣ㄧ	服ㄈㄨ
通 用	shuang	sié	wà	tào	yùn	dòng	yi	fú
漢 語	shuāng	xié	wà	tào	yùn	dòng	yī	fú

生難字	褲ㄎㄨ	牌ㄆㄞ	名ㄇㄧㄥ	正ㄓㄥ	折ㄓㄜ
通 用	kù	pái	míng	jhèng	jhé
漢 語	kù	pái	míng	zhèng	zhé

第二十九課

生難字	影	票	海	邊	風	景	游	泳
通 用	yǐng	piào	hǎi	bian	feng	jǐng	yóu	yǒng
漢 語	yǐng	piào	hǎi	biān	fēng	jǐng	yóu	yǒng

生難字	但	而	且	坐	汽	算	帶
通 用	dàn	ér	ciě	zuò	cì	suàn	dài
漢 語	dàn	ér	qiě	zuò	qì	suàn	dài

第三十課

生難字	結	婚	*長	高	較	髮	亮	漂
通 用	jié	hun	cháng	gao	jiào	fǎ	liàng	piào
漢 語	jié	hūn	cháng	gāo	jiào	fǎ	liàng	piào

生難字	笑	門	牙	愛
通 用	siào	mén	yá	ài
漢 語	xiào	mén	yá	ài

注音符號、通用拼音與漢語拼音對照表

注音符號	通用拼音	漢語拼音	注音符號	通用拼音	漢語拼音
ㄅ	b	b	ㄚ	a	a
ㄆ	p	p	ㄛ	o	o
ㄇ	m	m	ㄜ	e	e
ㄈ	f	f	ㄝ	ê	ê
ㄉ	d	d	ㄞ	ai	ai
ㄊ	t	t	ㄟ	ei	ei
ㄋ	n	n	ㄠ	ao	ao
ㄌ	l	l	ㄡ	ou	ou
ㄍ	g	g	ㄧㄚ	ya, - ia	ya, - ia
ㄎ	k	k	ㄧㄛ	yo	
ㄏ	h	h	ㄧㄝ	ye, -ie	ye, -ie
ㄐ	j(i)	j	ㄧㄞ	yai	
ㄑ	c(i)	q	ㄧㄠ	yao, -iao	yao, -iao
ㄒ	s(i)	x	ㄧㄡ	you, -iou	you, -iu
ㄓ	jh	zh	ㄧㄢ	yan, -ian	yan, -ian
ㄔ	ch	ch	ㄧㄣ	yin, -in	yin, -in
ㄕ	sh	sh	ㄧㄤ	yang, -iang	yang, -iang
ㄖ	r	r	ㄧㄥ	ying, -ing	ying, -ing
ㄗ	z	z	ㄨㄚ	wa, -ua	wa, -ua
ㄘ	c	c	ㄨㄛ	wo, -uo	wo, -uo
ㄙ	s	s	ㄨㄞ	wai, -uai	wai, -uai
空韻	- ih	-i	ㄨㄟ	wei, -uei	wei, -ui
ㄢ	an	an	ㄨㄢ	wan, -uan	wan, -uan
ㄣ	en	en	ㄨㄣ	wun, -un	wen,-un
ㄤ	ang	ang	ㄨㄤ	wang, -uang	wang, -uang
ㄥ	eng	eng	ㄨㄥ	wong,-ong	weng,-ong
ㄦ	er	er	ㄩㄝ	yue	yue,-üe
ㄧ	yi,-i	yi,-i	ㄩㄢ	yuan	yuan,-üan
ㄨ	wu,-u	wu,-u	ㄩㄣ	yun	yun,-ün
ㄩ	yu	yu,-ü,-u	ㄩㄥ	yong	yong,-iong

中英文版

書　　名：	五百字說華語（中英文版）
初版主編：	劉紀華
中文修訂：	世界台灣語通用協會
修訂版英文審校：	謝耀毅
修訂版英文配音：	謝耀毅、謝雅綦
修訂版中文配音：	胡宗玉、劉群
修訂版美編排版設計：	漢世紀數位文化股份有限公司
出版機關：	中華民國僑務委員會
地　　址：	台北市徐州路五號十六樓
電　　話：	(02)2327-2600
網　　址：	http://www.ocac.gov.tw/
出版年月：	中華民國七十九年十月初版
版（刷次）：	中華民國九十五年八月三版
電子出版品說明：	本書另有電子版本，同時刊載於全球華文網路教育中心網站
網　　址：	http://edu.ocac.gov.tw/interact/ebook/digitalPublish/index.asp
電子版承製廠商：	漢世紀數位文化股份有限公司
定　　價：	新台幣二五〇元
展 售 處：	國家書坊台視總店（台北市八德路三段10號，電話：02-25781515）
	五南文化廣場（台中市中山路6號，電話：04-2260330）
承印廠商：	晉富印刷有限公司
GPN：	1009303901
ISBN：	957-01-8950-9